日本の古式捕鯨

太地五郎作
中沢新一 解説

JN018744

講談社学術文庫

学術文庫版序文

中沢新一

　これほど国際的な批判を浴びながら、なぜ日本人は捕鯨をあきらめようとしないのか。それが日本の伝統文化であるから、と反論したところで、多くの西欧人はとうてい納得しないだろう。じっさいいま問題になっているのは、西欧で開発された近代的な方法によっておこなわれる捕鯨であり、ただそれをやっているのが日本人である、というところだけが違うのだとしたら、どうしてそういう捕鯨を、自分たちの伝統に属するなどと主張することができるのだろう。食文化などは変えていけばよいし、自然に変わっていくものだ。鯨肉によって日本人が命をつないでいた時代は、すでに過去のものだ。

　反捕鯨の国際的な非難にたいして、たとえ伝統文化の価値や民族の尊厳を盾にしたところで、とうてい勝ち目はなかろう。そんなことはわかりきっている。しかし、それにもかかわらず日本人は自分たちが続けてきた捕鯨をあきらめようとも、手放そうとも考えていない。なぜなのだろう。反捕鯨を掲げる人々の主張するように、日本人が生き物にたいして残酷だからだろうか。それとも愚かなために、人類に普遍的な価値観を共有できないためだろうか。

そうではない。日本人が国際社会を向こうにまわして、このような勝ち目のない抵抗を続けていることには、深い意味がひそんでいる。ただその意味は、西欧的な思考からはまことに理解されにくい、自然をめぐる一つの根本原理から発生している。そのために、この根本原理をあきらかにできないかぎりは、いかなるものであれ中途半端な反論が、説得力をもちえないこともまた事実である。

このような認識に立って、私たちは本書『日本の古式捕鯨』の出版を計画した。「私たち」というのは、日本人である私と、ヴィクトリア生まれのオーストラリア人サイモン・ワーンの二人であるが、二人は別々の道をたどって、まったく同じ場所にたどり着いた。それは和歌山県東牟《む》婁《ろ》郡太地町《たいじちょう》を発祥とする日本古式捕鯨の技術と文化の体系であり、それを担ってきた海民の思考と感情である。二人は共同作業を続けるなかで、それがいかに深い人間性をたたえた自然哲学に根ざしているかを、はっきりと見届けてきた。これこそまぎれもなく「伝統」であると言い得るものを、私たちはそこに見出した。

本書の中心をなす太地五郎作《たいじごろうさく》氏の著作『熊野太地浦捕鯨乃話』ほど、古式捕鯨の体系とそれを支え担ってきた人々の思考と感情を、内部から正確に観察し繊細に表現しえた作品は存在しない。この驚異的な著作をつうじてはじめて私たちは、日本の捕鯨文化を生み出した根本原理に触れることができる。日本が国際社会から突きつけられているこの深刻な問い、日本人はなぜ捕鯨をあきらめようとしないのか、という問いに、真正面から答えていくためには、どのような立場の人も、まずはこの太地五郎作氏の著作によって、日本古式捕鯨の真実を知る必要がある、と私は信ずる。

太地五郎作『熊野太地浦捕鯨乃話』について

本書の作者太地五郎作は、明治八年（一八七五）太地の鯨方《くじらかた》のいっぽうのリーダーである和田金右衛門頼芳《わだきんえもんよりよし》の四男として、和歌山県東牟婁郡太地村（現・太地町）に生まれた。幼少期に養子縁組みにより下里村（現・那智勝浦町）で特定郵便局を営んでいた分家の太地家の養子に入る。五歳（数え）のとき背美流れの悲劇が起こる。長じて下里村郵便局長の職を務める。勝浦町長にも選ばれ、温厚な人柄で町民に親しまれた。戦後は和歌山県信用金庫理事長なども歴任。熊野の郷土史に造詣が深く、なかでも一族の先祖の家業であった捕鯨には早くから強い関心を抱き、体験者からの聞き書きや古い資料の収集などを丹念に続け、かつて盛んだった頃の古式捕鯨の研究にうちこんだ。昭和十年（一九三五）の夏、和歌山市の郷土玩具研究会の依頼によって、「熊野太地浦捕鯨の話」と題する講演をおこなった。この講演は大阪朝日新聞の「天声人語」に取り上げられるなど評判を呼び、講演のガリ版刷り筆記録をもとに、昭和十二年（一九三七）に紀州人社から出版された。歿年は昭和三十二年（一九五七）。本書の価値は早くから地元の人々によく認識されており、昭和五十七年（一九八二）には橋本忠徳氏の手により復刻出版された。

凡　例

・『熊野太地浦捕鯨乃話』太地五郎作著（一九八二年、橋本忠徳発行）を底本にして、一部を割愛した（「序」「序文」「『熊野太地浦捕鯨の話』再刊によせて」「鯨浦翁と私」「御進講之原稿」「文献」、また口絵の一部と和田金右衛門「明治十一年寅十二月二十四日　旧十二月朔日也　背美流れの扣《ひか》へ」の原文）。
・原文の明らかな誤植と思われる箇所は訂正した。
・和暦やわかりにくい語句については、〔　〕内に注を付した。
・ルビ、句読点を適宜追加し、改行を増やした。
・旧漢字、旧かな遣いは新漢字、新かな遣いに置き換えた。
・現在では不適切とされる表現があるが、著者が故人であること、原本が歴史的史料であることを鑑みてそのままとした。

目次

日本の古式捕鯨

原本口絵より

末香鯨
鯱鯨
背美鯨
座頭鯨
長須鯨

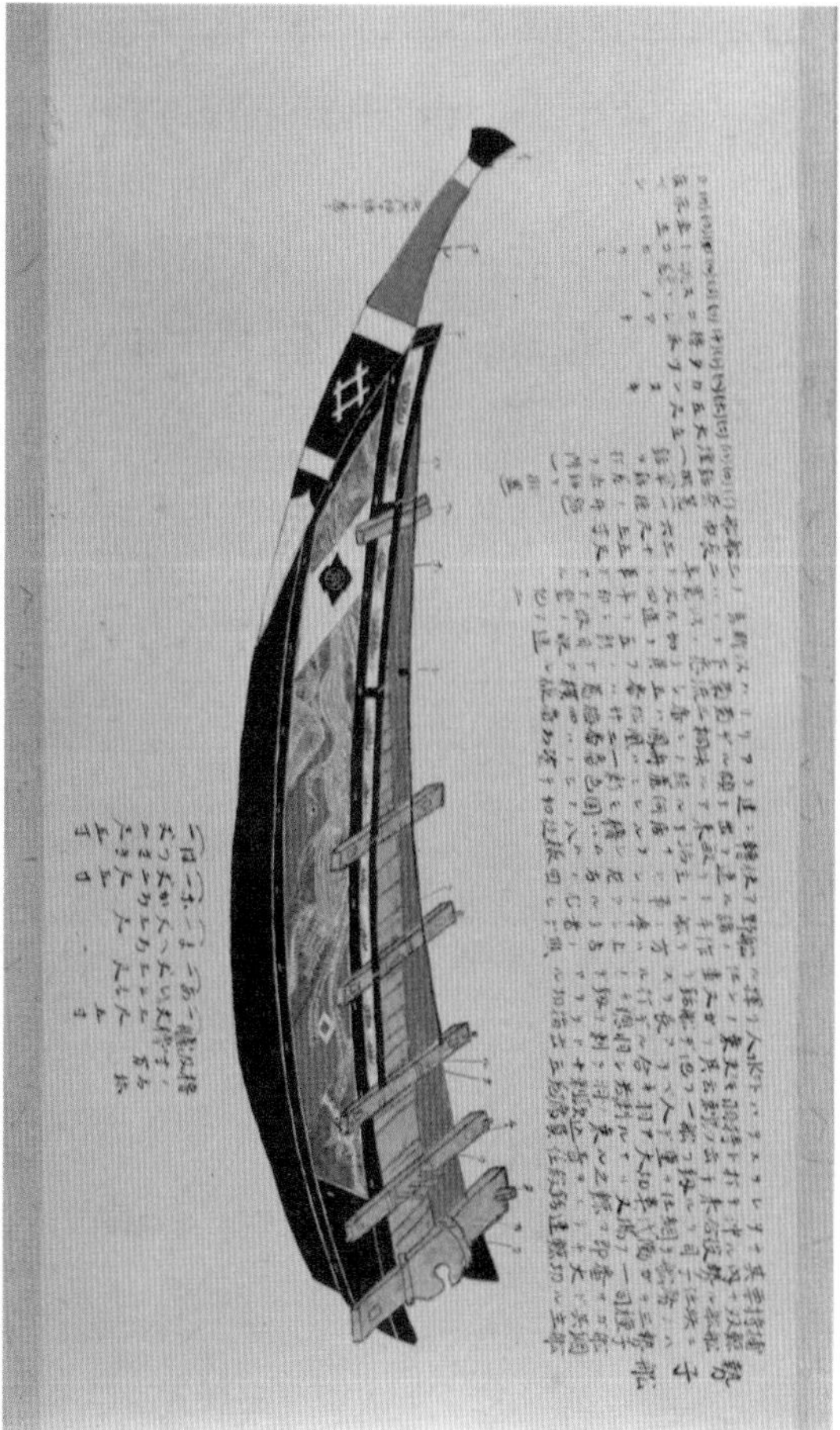

勢子舟

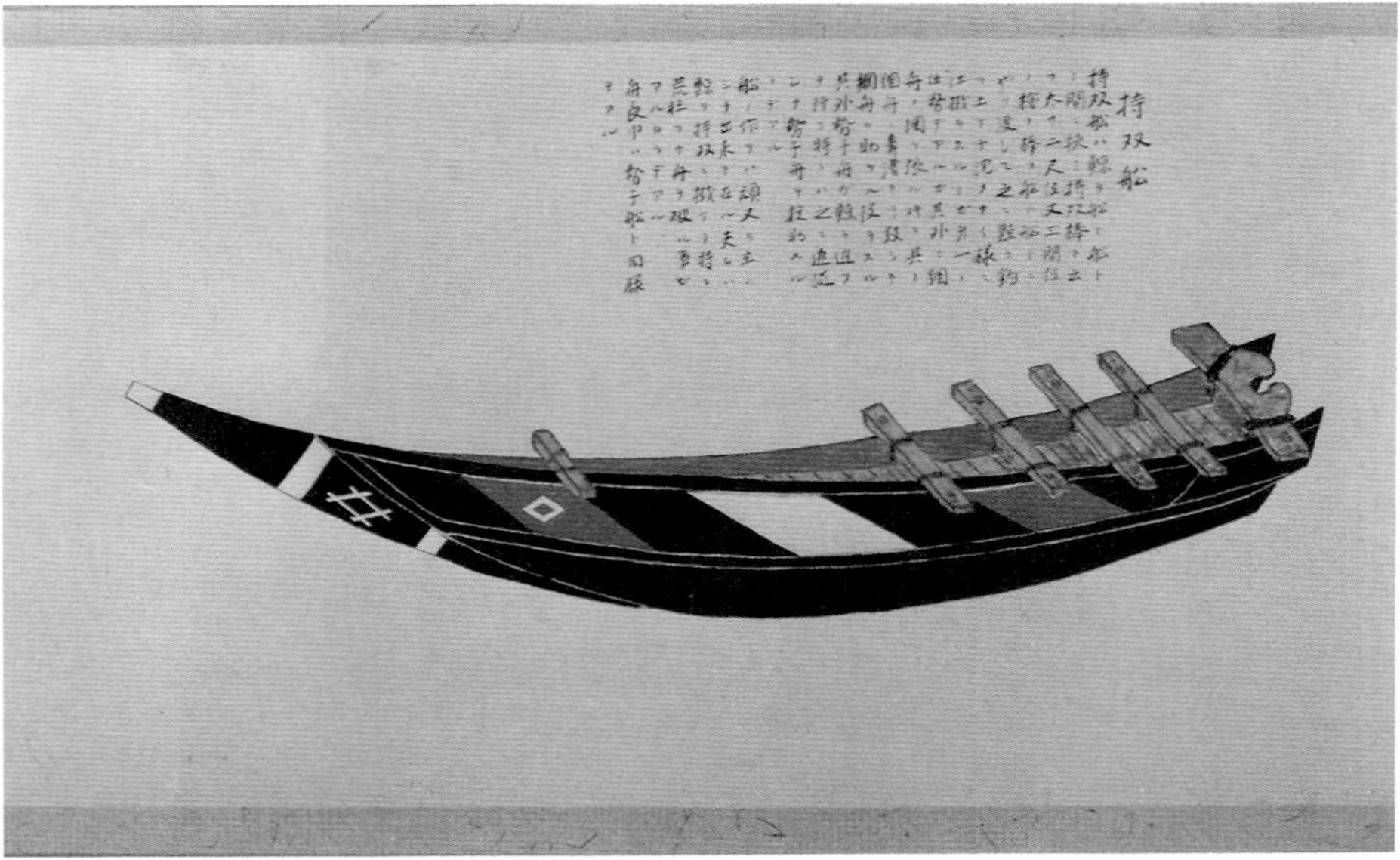

持双舟

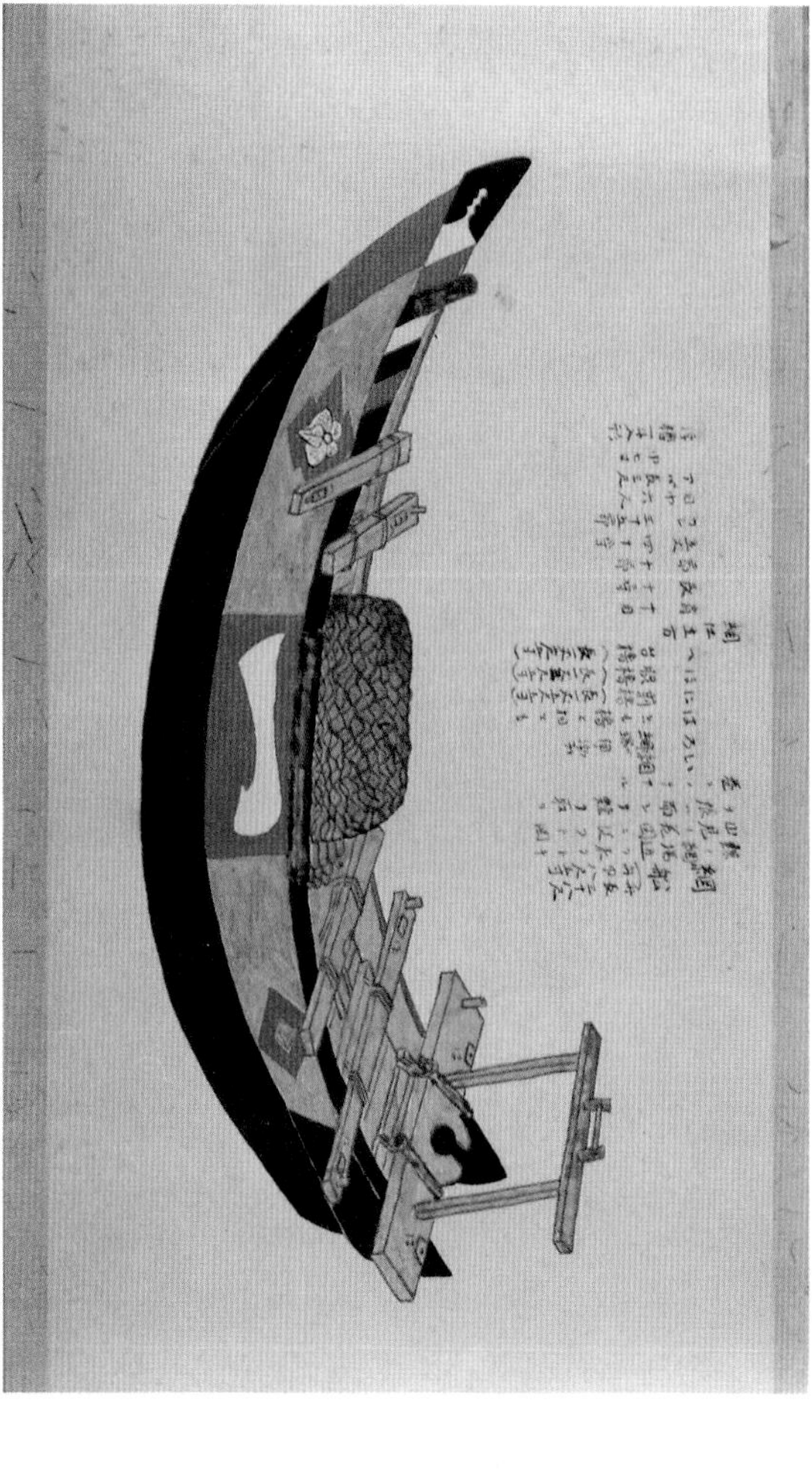

網舟

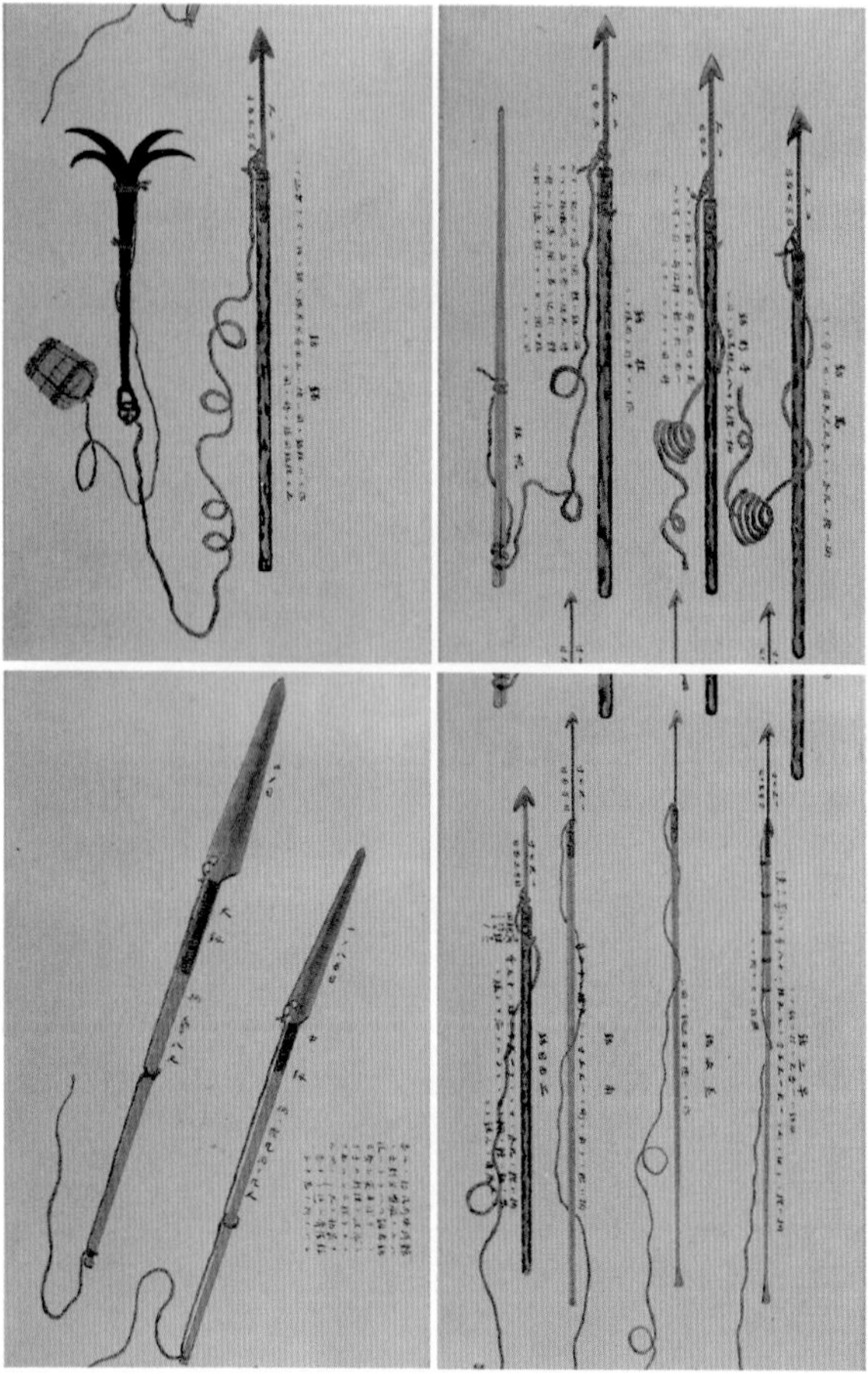

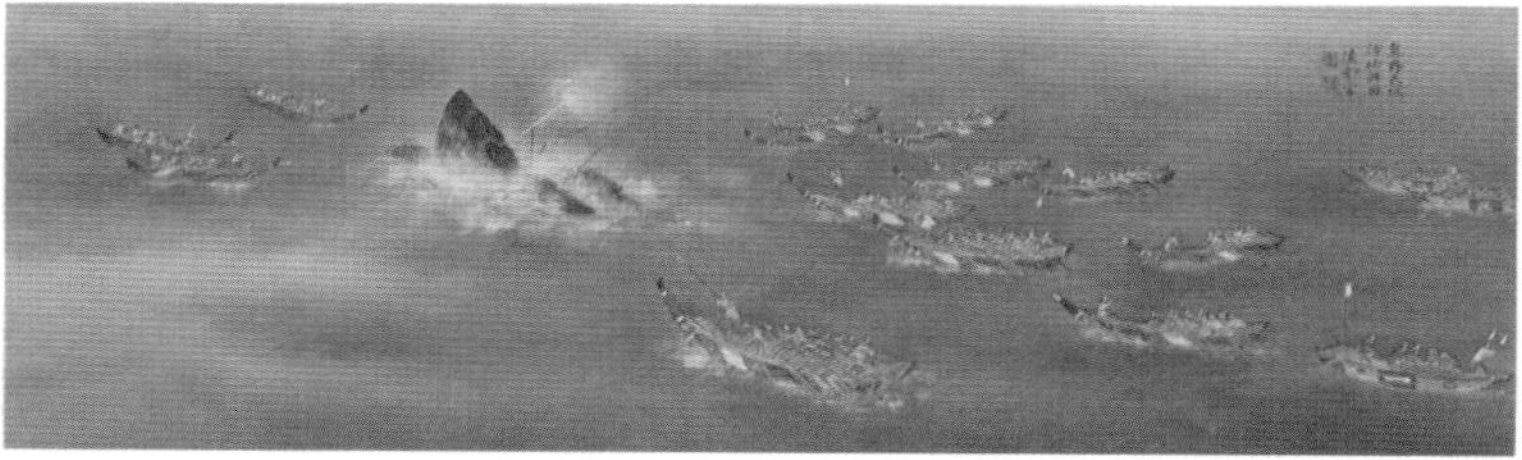

熊野太地浦捕鯨の図　渡瀬凌雲筆

紀州藩より拝領の印

捕鯨図識

鯨志

熊野太地浦捕鯨乃話

太地五郎作著

太地五郎作氏

昭和23年4月10日
明仁上皇（当時皇太子殿下）の熊野行啓の際に勝浦より宇久井へ向う船上にて

27　原本口絵より

熊野太地浦捕鯨乃話

太地五郎作　述

捕鯨に就《つい》て昭和十年（一九三五）八月二十七日　郷土玩具研究会の
席上に於いて各位の希望により談話の速記

今晩、各位のご希望によりまして、熊野《くまの》太地《たいじ》浦《うら》捕鯨《ほげい》についてお話し申上げることになりましたが、私も直接この事業に従事したことでもなく、ただ家に残っている文献なり父より聞かされてある事どもと幼年時代に見聞していることを総合して、ほんの断片的なことより申上げることが出来ませんからご期待に添うほどのことのできないことを甚《はなは》だ遺憾に存じまして、あらかじめご了解を願っておく次第であります。

太地捕鯨の起源

第一に私共の研究中もっとも必要なることは、熊野における捕鯨の起源であります。ところが慶長《けいちょう》〔一五九六〜一六一五〕以降の事は明瞭に文献として残っておりますが、ずっと古い事は遺憾ながら記録がないのであります。捕鯨の開祖である和田《わだ》忠兵《ちゅうべ》衛《え》頼元《よりもと》の祖先朝比奈《あさひな》三郎義秀《さぶろうよしひで》が建暦《けんりゃく》三年〔一二一三〕五月に父和田《わだ》義盛《よしもり》と北条氏《ほうじょうし》を滅ぼそうとして兵を起こしたが、ついに戦いに敗れてその目的を達し得ず、その子義秀が一族をひきいて由比《ゆい》ケ浜《はま》より逃れ、国々を漂浪《ひょうろう》して熊野に来て太地に蟄居《ちっきょ》している内、一子を遺してさらにまたこの地を去ったということは和田氏の系図に明らかに記されてあります。その子孫が捕鯨を業としたらしく見えております。しかし忠兵衛頼元に至るまでの間に南北朝時代（一三三六〜九二）には南朝に出仕したこともあり、秀《ひで》吉《よし》朝鮮出兵の時に出軍して彼地に戦死したものもあることが文献に遺っていますから一面においては仕官をして、一面においては捕鯨を業としていたように見えるのであります。

由来熊野ことに太地方面の海辺は鯨の通路に当りまた地形上鯨が休息するのにもっとも適した湾型を成しており、また鯨の餌料とすべき鰯《いわし》、烏賊《いか》の如きものも多く産する所でありますので、四季を通じて鯨の集中に適しており、ために古くより個人個人の仕事として、例えば北海の原住民が猟虎《らっこ》や膃肭臍《おっとせい》を捕えて食料や衣類を作ると同様に、この地方に居住していた人々が不完全な漁具によって手頃の鯨を捕えて肉を食用に致し、皮は油を採って灯火用に供するというように頗《すこぶ》る原始的なやり方をしていたものではあるまいかと思います。それが段々組織的になり和田忠兵衛頼元に至って初めてかなり理想的捕鯨法を考えて従来のやり方を一新し、また和田《わだ》惣右衛門《そうえもん》頼治《よりはる》によって網捕り法を採用して事業の拡充統一を成したものであろうと思います。

一説に熊野の捕鯨は秦《しん》の徐福《じょふく》が来てから教えたのであると申す者もありますが、これは極めて最近徐福徐福というようになってから誰かが故なく伝えたことであって、古くからの口碑《こうひ》でもなければ無論文献等のあるはずのものではありません。ただ鯨を殺す一番の役目を務める者を羽刺《はざし》というのでありますが、この羽刺は秦氏《はたし》であるというこじ付けた点から起こったものと思うのであります。羽刺の始まりは和田金右衛門《わだきんえもん》が元和《げんわ》四年〔一六一八〕に尾州小野浦《びしゆうおのうら》の与平治《よへいじ》なる者を採用して羽刺とした。これが羽刺という言葉の初めであって秦氏とは何等関係のない事でありまして秦姓《はたせい》を用いている者は太地には一人もなく、徐福と捕鯨とは何等関係はありません。ただ私のもっとも遺憾に思うのは、和田一類の総本家たる金右衛門の家が今日より約二百二、三十年前に火災に会い全焼して貴重な品全部を焼失してしまったことであります。この災禍にかかってなければ相当有力なる資料があり、熊野文化のために貢献する所が多かったことと思うのであります。あるいは捕鯨の起源についても何か有りはしなかったかと思うのであります。

徐福来熊の批判

問題外ではありますが、徐福《じよふく》の熊野渡来のことが近来かなり問題化して参りまして、徐福は来ていないとか来ているとかいうことであります。相当有力な学者の内にも両説対峙しているのでありますが、これも文献上有力なる証拠物件のあるわけではありません。ただ口碑として遺されているだけでありますから煎じ詰めるとその結論は頗《すこぶ》る曖昧なものであろうと思いますが、私はこの問題は口碑として生かしておくほうがよいのではあるまいかと思うのであります。是非これを抹殺しなければ、国史の上においてあるいは風教の上においてかくの如き害毒を遺すものであるというような重大なる問題でもあるなればともかく、徐福渡来のことは国史風教の上において少しも害毒のあるを認めない、むしろ私は徐福真に来《きた》れりと申す方が国史風教の上に誇《ほこり》とすべきことではあるまいかと思うのであります。いま否定説の二、三を挙げて見ますと「支那《しな》の書物によれば徐福が支那を出ずる時の方向はルスン〔フィリピンのルソン〕方面に向かったもので日本には来ていないのである」「徐福が来たとするならば、熊野のような不便な地に着かなくとも九州なり山陰地方の相当支那に便利な所に着くべきである」「徐福が来たとするならば当時の支那文字が残っているはずなのに文字を教えた跡形がない」云々その他種々のことを申されているようであるが、私は以上の諸説の如きは一つとして肯定することの出来得ない、否認の理由としては極めて薄弱な説のように伺うのであります。

即ち支那を出る時の方向が南方ルスンの方向であったとしても、少し沖に出れば南方東方何《いず》れに向かおうと自由である。また徐福渡来の目的が伝説の如く不老不死《ふろうふし》の仙《せん》薬《やく》を得んと欲せしならば東方日出ずる国ありとなす即ち日本に求むることが適当であり、また始皇帝《しこうてい》の暴政のもとに我慢が出来ずこれを遁《のが》れんが為に逃げ出したものとすれば気候風土の悪いルスン方面に向かって一生を送ろうと思うはずはない。いずれにしても東方君子《とうほうくんし》の国日本に来たということが有力である。日本に来たとしても支那を出る時より熊野を目的地として出たわけではなく、あるいは九州なり四国なり所々方々自己の目的に適する地を求むるためにはかなりの歳月を要して永住の地を求めたものではあるまいかと思うのであります。しかしてついに熊野を求めその気候風土その他の条件がもっとも意に適して、遂に永住の地と定めたものではあるまいかと思うのである。また文字の如きは今日より考えれば必要あり遺《のこ》し得べきものとも思うが、何しろ二千年の昔として果して文字の必要ありしや、また仮に少数の者に遺してあったとしても文筆の具さえなき当時の物が後世に遺り得るはずはなく、亡命の一帰化人である徐福に対してその当時として地方の人々が相当の敬意を払ったであろうかどうか、この点大いに疑問である。いわんや二千年を経過せる今日これを詮索《せんさく》して可否を決せんとするが如きはむしろ愚論で、ただ口碑の存する所はこれを尊重して保存すべきが妥当であるまいかと思うのであります。大変話が横途《よこみち》にはいりまして誠に申し訳がありませんでした。

捕鯨の仕事については、各部門を大体五つ位に分けてお話し申す方が判り易いかと存じます。

一、事務所
二、大納屋《おおなや》
三、山見《やまみ》
四、沖合《おきあい》
五、捕鯨の始末

事務所の事

慶長《けいちよう》以前までの太地《たいじ》の捕鯨は前に申しました通り大仕掛のものもなく個人個人の事業として経営していたのであるが、和田忠兵衛頼元《わだちゆうべえよりもと》（和田金右衛門《きんえもん》の祖先）が泉州《せんしゆう》堺《さかい》の浪人《ろうにん》伊右衛門《いえもん》、尾州師崎《びしゆうもろざき》の伝次《でんじ》両人《りようにん》と相計り鯨の突捕り方を始めまして、さらにまた親戚の者が刺手《さして》組《ぐみ》三組を組織し、別に村民達が一組を作りまして五組として相当盛《さかん》に経営していたのでありますが、忠兵衛頼元の孫金右衛門頼奥《よりおき》の弟に惣右衛門頼治《そうえもんよりはる》と申す人がありました。この人は後の太地角右衛門《たいじかくえもん》の開祖となられた人で、この人が初めて網をもって鯨を捕ることを発明しましてその成績が頗《すこぶ》る良好であったのでありまます。それでさきの五組の刺手《さして》組《ぐみ》を一まとめに致しまして、今日で申せば合名もしくは合資会社のようなものとして、しかして頼治自身が組頭となって金右衛門の隣地に広大なる邸宅を構えてこれを事務所に当て、和田一門の者をもって捕鯨権を支配するようになったのであります。惣右衛門頼治の方は元禄年間〔一六八八〜一七〇四〕に土佐に捕鯨場を拡張しまして、その時より姓を太地と改めたのであります。今日の言葉で申すと事務所であるがその当時は本方《もとかた》または本家《ほんけ》と称し、和田一類の者及び手代《て》番《だいばん》頭《とう》と称する相当多数の役係りがあってそれぞれ事務を担任して頼治の相続者が代々その宰領となり、金右衛門の相続者が輔佐役となって両家で幹部の席を占めてはいるが、大要は和田一類の合議制で仕事をして来たものであります。

捕鯨事業はかなり大きな資本を要する仕事であるために、幹部の常に苦心をしていたのは資本金の問題で、鯨が相応に捕れればよろしいけれども、いざ不漁となると資金調達がなかなか容易でない。したがって事業の上に手加減を要する。即ち事業の縮小をやらねばならぬ。たとえば勢子舟《せこぶね》十隻のところを六隻に、網舟《あみぶね》八隻のところを六隻にというように舟数を減ずれば自然人件その他の費用がうんと減る。またこれと反対に大漁があると翌年の計画は相当大仕掛にやるというふうに、その年々の事業成績に応じて翌年の計画に増減を見たものである。

従業者の賃金は年々本方役員の方にて適宜これを取扱い支払いするのであるが、金銭のみで支払うのでなく月給何程とするのでもなく、毎日一人玄米一升（八番と称して八合をもって一升としたのである）これは職の高下にかかわらず渡すのである。そのほかに次のような遺物《つかわしもの》を致すのであります。たとえば、

盆前の遺物　これは其の職分に等差がある

一、銭　二〆《かん》百三十六文　米　二斗五升　勢子舟一、二番、羽刺

秋遺物

仲上り遺物

越年遺物

三月節句遺物

九月節句遺物

亥猪《いのこ》遺物

煤払《すすはらい》遺物

節分遺物

四十二　厄遺物
死亡の時遺物

以上のように従事者に対してはその季節季節に応じてその職別に従って等差のある遺物を致すのであります。このほか租税公課《こうか》も本方《もとかた》の方にて支払ってやり、鯨の捕れた時は皆それぞれの賞与がありました。これは金銭で渡すのでなく鯨肉をやるのであります。あるいは米で渡す者もあります。太地《たいじ》に居住致している者は、ほとんど全部鯨方に関係しているものばかりであるためにこのような次第である。普通の営利事業と異なってほとんど一村救済の事業であったのであります。否一村のみならず附近漁村の漁民にも及んでおったのであります。それでありますので永く不漁が続いて資金の都合の出来ない時には紀州藩《きしゆうはん》にお願いをして御手組《おてぐみ》と称して藩の直営にされた時代もあったのである。藩の直営の時でも事業の方は角右衛門《かくえもん》を宰領にして和田一類の者には相当の扶持《ふち》と捕鯨に対しての歩金《ぶきん》はお下げに与《あず》かったのであります。

本方の仕事は出漁期前の準備はなかなか多忙なもので、まず網の製造にかかるのが八、九月の頃によく始めたものであるが、これが相当大仕事で原料は年々大阪より仕入れて来るいちびという苧《からむし》をもって作るのでありますが、この原料を網にするまでには幾多の手数を要するのであります。これも苧が本方へ着くと沢山な人々が集まって来ましてそれを一人一人に量り分けてそれぞれ自宅である程度まで加工させるのでありますが、不浄のある家ではさせません。女不浄の時には手をつけることはさせません。加工が出来ると本方へ持って来て量って渡すのでありますが、あまりに目減りがあると賃金の支払いを受けることができないのであります。その半《なか》ば加工したものをあつめてさらにこれを製網とするのであります。

新造船の必要な時にもやはりこの時季に取りかかるのであります。これも不浄のある大工にはさせません。

その他経営に要する総ての計画は事務所においてやるのでありますから、随分多忙であり相当の人員を要するのであります。

大納屋の事

大納屋《おおなや》は道具や舟を造りまたこれを保管する所で、前に申しました網の仕揚《しあげ》、舟の製造も皆ここでやるのであります。大納屋の仕事も分類して申し上げる方がよくわかると思うのでこれを分けてお話し致します。

大工方

一、舟の方から申しますと舟の種類が勢子舟《せこぶね》。網舟《あみぶね》。持双舟《もっそうぶね》。道具舟《どうぐぶね》。樽舟《たるぶね》。そのほか通《かよ》い舟《ぶね》。伝馬《てんま》舟《ぶね》。等でありましてこれに要する舟道具の新調作事《しんちょうさくじ》に相当手数がかかるのであります。これらの舟は皆その役目役目に応じてことごとく彩色別にしてある。もっとも勢子舟の如きは頗る立派な絵彩色で舟ごとに順番に応じて彩《いろどり》方《かた》が違うのでありますから手間のかかったものであります。舟道具の種類も相当多くまた破損するものも多く大工《だいく》方《かた》の方でも随分多忙なもので、ことにせわしいのは櫓《ろ》の修繕であります。これは夕方舟が帰る度ごとに相当多く持ち付けられて、大工を困らせたものです。

鍛冶方

二、銛《もり》〔これ〕は専属の鍛冶職《かじしょく》があってほとんど毎日毎日手入れをしている。そのほか庖丁類を造る事、造船の釘を造る事、鉤《かぎ》を造る事、その他種々の細工のあるもので朝から晩まで鞴《ふいご》の吹きづめです。

三、桶屋　これも網の浮けに用うる樽、これは相当多数使うものです。そのほか上《かみ》は事務所用から始まって伝馬舟の淦取杓《あかとりしやく》まで造るのでありまして、今日のように馬尻《バケツ》だの、とたん板の無い時代ですから各係りに使う各種の桶もなかなか数多くありまして、やはり朝から晩までたたき通しです。

四、**道具係**　これは第一銛の手入修理、各種の綱類や種々雑多の仕事整理をするところで相当多人数を要する。

五、**網納屋**　これは道具係の方の仕事で網の手入、網の手入と申しましても地引網や手繰網のようなものとは事違い、網の糸も直径六分〔約一・八センチメートル〕、目は五尺〔約一・五メートル〕目という大きなものでありますから、ちょっと手入れをするにも持ち運びにも相当の人手を要するのです。

大要分類しますと以上の通りでありまして、これを総括するのに納屋檀那《だんな》（主任）というのがありその下に老爺《おやじ》（係長）という実際家が付いていて指図して仕事をすすめてゆくのです。その他大工、鍛冶、桶屋、道具係には皆それぞれ老爺が一人ずつついているのです。舟を塗るのにも塗師《ぬし》屋が専門にあるという風に今から考えると随分不経済なことも多かったように思うが、さきに申しました通り一種の施業的事業であるので経済に即しないやり方をしたのも止むを得なかったことかと思います。総体の準備は皆この大納屋にて致すので普通の時には納屋開きと申しまして準備に取りかかる時期はその年々により一定は致しておりませんけれども、旧九月一日頃であったから今日から申すと十月一日頃であったのです。このようにしてその場所は向島《むこうじま》と申しまして太地町の湾口にある大きな島に設けてありました。

山見の事

山見《やまみ》と申すのは鯨が沖に見えるのを見出して、それを捕鯨舟《ほげいぶね》に知らせて、鯨が陸に近づくに従って舟に指揮命令を下して鯨を捕らせる大切な任務のある所で、いわば参謀本部とでもいう所です。海にいる鯨を捕るのに、その指揮者が山上にいるという事は他の漁師の仕事ではちょっと考えられないことで、舟が勝手に働いて捕ればよいように思いますけれども、それでは統制がとれない点があるのです。鯨が遠く沖に見える、沖には地番《じばん》、中番《なかばん》、東番《ひがしばん》、南番《みなみばん》まだその他いくつもの番所《ばんしょ》があって、それぞれ勢《せ》子舟《こぶね》を配置してある。また地方《じかた》近い所には網舟《あみぶね》、持双舟《もっそうぶね》が張り番をしてある。いちいちこれらの舟に一斉に鯨の見えた方向を知らせ、鯨の種類を知らせ、鯨の速力と潮流の関係によって網を張る位置を定めさせるというような事は、舟と舟との交渉ではとても出来得るものではありません。それにはやはり統制のとれる指揮官が必要であって、その指揮官が山見にいてそこから総《すべ》ての命令を発し、各舟は必ずその命令通り働かなければならないのであります。

しからばその命令をどうして舟に伝えるかと申しますと、まず山見の位置から申さなければお判りにならないと思う。その位置は燈明岬《とうみようざき》と梶取岬《かじとりざき》の二ヵ所にあります。そのほかに向島《むこうじま》の上にも一ヵ所あります。ここは指揮を下す所でなく、鯨と舟の動静及び燈明岬における指揮の様子を見て、それを大納屋《おおなや》を通じて本方《もとかた》に知らせるだけの役目であります。山見の内で一番重要な任務をなしている所は燈明岬で、この所には山檀那《やまだんな》（総司令役）が控えている。この役人は和田一門の内の総本家である金《きん》右衛《え》門《もん》の方《ほう》でほとんど代々務めて来たもので、他の家柄の方では沖合《おきあい》多数の舟に対する権威が行われない、金右衛門が差支えあれば角《かく》右衛《え》門《もん》自身これに代るかであった。その司令役の下には老練なる老爺《おやじ》が相談役に控え、以下望遠鏡を通して沖を見張る数人、小《こ》使役《づかいやく》三人位、都合十人位の人がいる。このようにして常に望遠鏡を持って東南東の方向に注意をして、鯨の来るのを見張っている、舟の方にもさきに申しました番所番所に配置されているものが見張をしている。舟の方で鯨を見出した時にはその見出した舟が白い印を揚げて鯨のいる方向に舟を漕ぎ出す。山見の方で見出した時にはこれを舟に知らさなければならないが二里《り》も三里も沖にいる舟の事であるから法螺貝《ほらがい》や旆《はた》を掲げた位ではわからないから、それには狼煙《のろし》を焚いて合図をする、その狼煙を焚く所が燈明岬の方《ほう》で三ヵ所あって、その窯《かま》には常に松の葉枝をよく乾して積み重ねて置いてある。火をつけたら黒煙もうもうと天に沖《ちゅう》するのである。主にこれらの合図は燈明岬が主になってやるのであるが、梶取岬《かじとりざき》の方で鯨を見た場合には無論梶取岬の方の狼煙を焚くのである。

その狼煙のかまどを焚く時に、鯨の見えた方向によってかまどの位置が違うのである。ある時には二ヵ所一度に焚いて煙の十分上ったときにその内の一つを消す、その消すのも甲をさきに消した時には鯨はどの方面にある、あるいは乙をさきに消したときにはどの方向というようにそれは定まってあるのであります。次にはその鯨の種類が何であるかということを見定めるのであります。何里も沖にある鯨が背美鯨《せみくじら》であるか、座頭鯨《ざとうくじら》であるか、あるいはまた鯢《こくじら》であるか、長須鯨《ながすくじら》であるか、その他の種属であるかということがどうして判別が付くかと申すに、それはその鯨の潮の吹き方にて判然とわかるのでありますが、これは多年の経験がなければとても出来るものではありません。

その決定が付くと燈明岬の方では四、五間〔約七・二〜九メートル〕もある竿柱《さおはしら》が常に立ててある、その上に旆《はた》を掲げる。その旆は鯨の種類によって違うので背美鯨であれば背美鯨の旆、座頭鯨であれば座頭鯨の旆という風に、それぞれ表示して各舟々に知らせ、同時に岬の北方の磯端に、むしろ島という所がある、そこへ表示して本方《もとかた》の方へも通知するのである。番所番所にたむろしている勢子舟《せこぶね》は山見《やまみ》の合図に依って鯨のいる方向へと舟を進めて行き、鯨を陸近くに追い込んで来る。そのとき山見の方《ほう》ではこの鯨は網をどの網代《あじろ》に張れば良いであろうかということを決定せねばならぬ。これが非常に責任のある問題で、その位置の如何によって鯨を網中《あみなか》に入れるか、あるいは逃がすかということになる。

それには種々の条件を総合して決定するのである。まずその鯨が舟に追われて舟のいうことをよく聞く鯨であるかどうかということが一つ、鯨の足どりが速いか遅いかということが二つ、潮流の速度が急かまたは遅いかということが三つである。潮の速度には一本潮、二本潮、三本潮という三段に分けてあって、潮流が少しも動かなければそれは上々吉、少し流れた時には一本潮、やや急な時が二本潮、最も急な時には三本潮、この測定方は網舟の一の舟の羽刺《はざし》（船頭）の責任で、常にレット〔おもり。レッド（lead　鉛）〕を垂らして測量をしている。測量と申した所で器械で測るでも何でもない、ただ垂縄の指先一つに感じる経験でこれを定めるのである。二本潮までは網の作業は無理でもないが、三本潮になるとほとんど困難であるけれども敵を前にしていながら網を張らぬわけにはいかぬから無理を押してやるのである。その一本、二本、三本ということはさき申す網舟に白い旗を一の舟二の舟三の舟と一本一本立ててこれを山見に知らせるのであって、このほかに時間の関係もある。

以上諸種の条件を総合して山檀那《やまだんな》の方で網代《あじろ》をきめて網舟に命令を下して網を置かすのであるが、やはりこの時は老爺《おやじ》その他上役の者とよく相談をして出来得るかぎりの注意を払うものである。網舟に命令を下すには法螺貝《ほらがい》を吹き鳴らし、采配《さいはい》（二尺位の竹の先に天目《てんもく》を付けたるもの、これを網采《あみさい》という）を振って合図をする。その振り方と法螺貝の鳴らし方によって舟はその指揮に従って動くのである。鯨はこの時すでに勢子舟に追われて網場に近よって来るのであるが、途中物に驚く、例えば意外の所で舟に出会ったり暗礁に触れたりすると急に方向を転じ、速度を速めることがある。左様な場合にはまた急に網の位置を変更せねばならぬ。ところが時すでに遅くして間に合わないこともあるし、まったく網を用うることの出来ない方へ向って逸し去ることもある。ゆえに鯨を追うて来る時には、その前方を航海する舟に対して山見より、また勢子舟より注意を与えて針路を変更して貰うことも少なくなかった。鯨が網に入ればまず山見の仕事は大体よいので、これからは勢子舟に向って勢子采《せこさい》という長さ一丈〔約三メートル〕あまりある竹の先に天目を付けたる采を振って、進め進めの命令を下す。鯨が網に掛かれば勢子舟は争ってこれに一番銛を入れるべく猛進するのである。

勢子舟の働き方はあとで沖合の時に申し上げることに致しますが、鯨の種類によっては網を逸した場合にはそのまま追うて行かない鯨、それは長須鯨《ながすくじら》とか座頭鯨《ざとうくじら》である。網を逸しても勢子舟が追うて行って銛だけにて仕止める鯨、それは背美鯨《せみくじら》、鯇《こくじら》である。銛だけにて仕止める鯨については網を逸した場合には山見は盛んに勢子采を振って勢子舟に追撃を命ずるのであります。このような光景は今日まったく見ることの出来なくなったのは実に遺憾である。初め鯨が沖合遥かに見えて山に狼煙《のろし》高く昇り、勢子舟の活動を始め、鯨がこれに制せられて陸地にだんだんと近づきかける、山見には法螺貝を吹き立てて采を振り網を張らしめ、いよいよ鯨を網中に納めて勢子舟が我れ一番にと銛を打たんと猛進する、その有様は実に源平時代の舟合戦の絵巻物でも見るような感じが致しました。

前に申しました通り、燈明岬の山見は鯨を捕えるには中枢の部隊であるが、網の置場が南に移って燈明山見より指揮の不便になった時には梶取岬の山見が活動致すのである。左様な時には燈明岬より急に梶取岬の方へ人を遣わすのである。山見に勤務する人々は、朝は夜の明けない内に出張して、眼鏡場《めがねば》で朝陽を拝するが常である。燈明岬の方には眼鏡場以外に支度納屋《したくなや》という建物がありまして、まず朝は早くこの納屋に落ち着いて寒い時期であるから温いものなど食べつつ東の明るくなるのを待ち、このようにして山見(眼鏡場)へ出張ることを例としている。時としてはまだ明けきらないうちに鯨の咆哮《ほうこう》する声を聞き急ぎ準備をさせたこともあったということを父より聞いたこともあります。

この支度納屋は山見関係の人の炊事をしたり、もし気分でも悪くなった者のある場合には休養させたりする所であります。また鯨の来様《きよう》が少なくなったとか、あるいは捕りそこなったとか、要するに漁満《りょうまん》の悪いような時になると、この岬に観音を祭っている堂があるのであるが、これに祈願をこめて夜を籠るのである。そのような時にはこの支度納屋を使うのであった。

それから山見の方《ほう》にて合図に用うる標識のことであるが、これは随分沢山《ずいぶんたくさん》の数であるけれども、いずれも皆頗る簡単明瞭であって、舟への合図にしても、山見と山見の相談合図にしても、一つの標識を竿頭《かんとう》に揚ぐれば、直ぐ了解が出来るようになっている。このようにしてこの標識暗号は常にいちいち暗記しておらねばならぬ。それから今一つは地理的目標であって、燈明岬より北東の方、即ち勝浦《かつうら》、那智《なち》、宇久井《うぐい》、三輪《みわ》崎《さき》の海岸より遠くは南北牟婁郡《なんぼくむろぐん》の海岸まで、その要所要所の地を目標としている。これは鯨を見出した時に何処何処に出ているということを知らせるためである。

　山見の人々の退《ひ》け時刻は日没少し前で、この時は沖合《おきあい》の舟も引き揚げて港に帰るのである。山檀那《やまだんな》の方《ほう》は宅に帰りさらに身仕度を整えて本方《もとかた》へ出勤する。この出勤は山檀那のみでなく各部各部の主任が皆集ってその日のことや明日の仕事につき種々相談打合せを致すのである。山見の方についてもまだ申上げたい事柄も沢山ありますが、あまり細かくなりますのでまずこれくらいに省略することにして置きます。

沖合の事

沖合のことをお話し申上げるには、これも舟の働きを区別して申す方がよくわかるかと思うのであります。

一、勢子舟の事
二、網舟の事
三、持双舟の事

四、其他

勢子舟の事

鯨を捕るに最も大切なる舟は勢子舟《せこぶね》であります。勢子舟の働きは鯨を追うて銛《もり》を打込む。すなわち殺舟《ころしぶね》と称して鯨を殺す舟であります。舟の製造方《つくりかた》も快速と左右の回転の自由をよく利《き》くように造ってあるので、随《したが》って他の舟に比して転覆の虞《おそれ》も多いのであるが、この舟には櫓《ろ》が八挺立ててあるので、ほとんど櫓と櫓で突張っているために、高浪の中を走ってもその憂いが少ないのであります。造りは上古の熊野《くまの》諸手舟《もろてぶね》になぞらえて出来ているということである。舟の彩色は頗る綺麗で、藍地に白と赤の菱形の地合《じあい》(この菱形の白と赤とは前中後と舟の順位によりて異なっている)の上に一番の舟より順次異なった彩りで一番は桐《きり》に鳳凰《ほうおう》、二番は割菊《わりぎく》、三番は松竹梅《しょうちくばい》、四番は菊流《きくなが》し、五番は蔦模様《つたもよう》というように皆極彩色をしてある。この色取の第一の目的は遠く沖合にあっても何番の舟がどこにいるということがすぐわかるための目標《めじるし》にしてあるのである。この古《いにしえ》の熊野舟《くまのぶね》にならって五彩目映《ごさいまばゆ》く速鳥《はやとり》に似た造りに改良されたのは寛文四年(一六六四)であるとのことである。

この勢子舟には十五人の水夫《かこ》が乗り込んでいる。内羽刺《うちはざし》（船長）一人、刺水夫《さしかこ》二人、櫓押《ろおし》一人、相櫓《あいろ》一人、その他炊者《かしき》に到るまでである。羽刺は舟の順位即ち一番の舟、二番の舟、三番の舟等以下順によって資格を異にして、順位の上になる舟には鯨を捕る術に長じ、また漁夫を使役するにも上手な者が段々上役《うわやく》を勤めるのである。このようにしてこの羽刺という役はただ以上の条件の備わった人物であれば誰でも宜しいかというと、それはそういかないので、これも一つの家柄となっていてその家筋に生まれたもので刺水夫《さしかこ》から仕揚たものでないと羽刺の役を勤める資格が無いのであります。

このようにしてこの羽刺は前に申しましたが和田一類の家に隷属《れいぞく》しておって即ち甲の羽刺は角右衛門の出入とか乙は金右衛門の出入とかいう風に各々主人持になっており、名前には必ず大夫という文字を使うのである。羽刺の資格の定まった時には主人より大夫名《たゆうな》を許され何々大夫と称するのである。例えば富大夫《とみたゆう》とか沢大夫《さわたゆう》とか益大夫《ますたゆう》とか一種の名乗を呼ぶことになるのである。刺水夫の働きはあとに申上げますが、この修業はなかなか一通りで出来ないもので、その羽刺の家に生まれて男子十三、四歳になれば父親が自分で仕込むか、またはよい師匠（羽刺のよい人）を求めて十数年間苦労をさせるのである。それは皆羽刺となるべき実地の学問を教えるのである。

勢子舟の数はその年々の都合にて何隻ということは定まってはいない。昔全盛時代には十数隻も使ったこともあったらしいが、私共の記憶しているのは六、七の時が多い方であった。一番の舟が沖合《おきあい》における総指揮を司《つかさど》り常に山見《やまみ》の指揮と呼応して働く。これに乗り込んである羽刺は多くの羽刺中より本方《もとかた》役員の相談で抜擢《ばってき》して決定し、以下同様人選するのである。もし一番の舟に事故の起こった場合は第二番の舟がこれに代って差図をするのである。

舟の沖出の時刻は未明の刻に（今日のように時計がないから皆暁の鶏鳴によって用意をする。即ち一番鶏〈午前二時頃〉二番鶏〈午前三時頃〉三番鶏〈午前四時頃〉、しかし春夏秋冬により遅速あるが捕鯨の期は冬であるからまずこの時期をもって大差なし）纜《ともづな》を解いて一種特別の艫声《ろせい》を威勢よく合唱しつつ漕いで行くのである。その艫声の意味は何という言葉であるか謡《うた》う者も聞くものもその仔細を知らずに永い間の習慣的にやり来っているのであるが、しかしこれを謡い始めた時には相当の意味あるものであったことであろうと思うのである。それはかく申すのである。「よおよい」と櫓押《ろおし》の翁《おやじ》が音頭をとると水夫《かこ》全体声を和して「えーい」と囃《はや》すのである。今度は櫓押が「よいとかんと」と声を張揚げると水夫全体が前同様「えーい」と和唱する。三番目にさらに櫓押が「もうひとこえだ」と大声を発すると総員同音して「えーいよおーよおーよーお」と息のつづく限り「よおーよおー」を連呼しつつ漕ぎ行くのである。東天まさに白まんとするの時、漁浦に幾数隻の舟が次から次へとこの舟謡を唄いつつ出舟する光景はこの太地浦を措《お》いて他に見ることの出来ぬ一種の古典的感を致するのである。

その乗出した舟はそれぞれ定められた任務の場所に就くのである。即ち燈明岬より見て東南の沖合に地番《じばん》、東番《ひがしばん》、中番《なかばん》、南番《みなみばん》というように鯨の通路に当る枢要の所に昔は十数ヵ所も張番をしたものであったが、近年舟数が減じてから自然番舟《ばんふね》の張り場所も少なくなったのである。さてこれらの勢子舟はいずれも終日鵜目《うのめ》鷹目《たかのめ》で鯨の来るのを待つ。同時にまた山見の方から合図知らせがないかということを注視している。鯨を見出した場合にはすぐその方向に舟を進める。このように一番の舟は印《しるし》（白い木綿の幟《のぼり》）を揚げてその鯨の行く後に追て来るのである。この舟を尾尻《おじり》という。常に鯨に尾行して見失わぬように致さねばならぬ。この行動によって山見は鯨の様子を察知し合図を致す。各勢子舟は尾尻舟即ち一番の総指揮舟《そうしきぶね》の指揮に従うて、舟と舟と相当の間隔を置いて鯨より沖に回り、地方《じかた》へ地方へと追うて来るのである。

その追う方法は小さい手槌を持って舟の貫木《かんぬき》をトントントントンと打つのであるが、その打ち方に緩急巧拙を要するのである。それはその鯨の性能を考えて俊敏のも

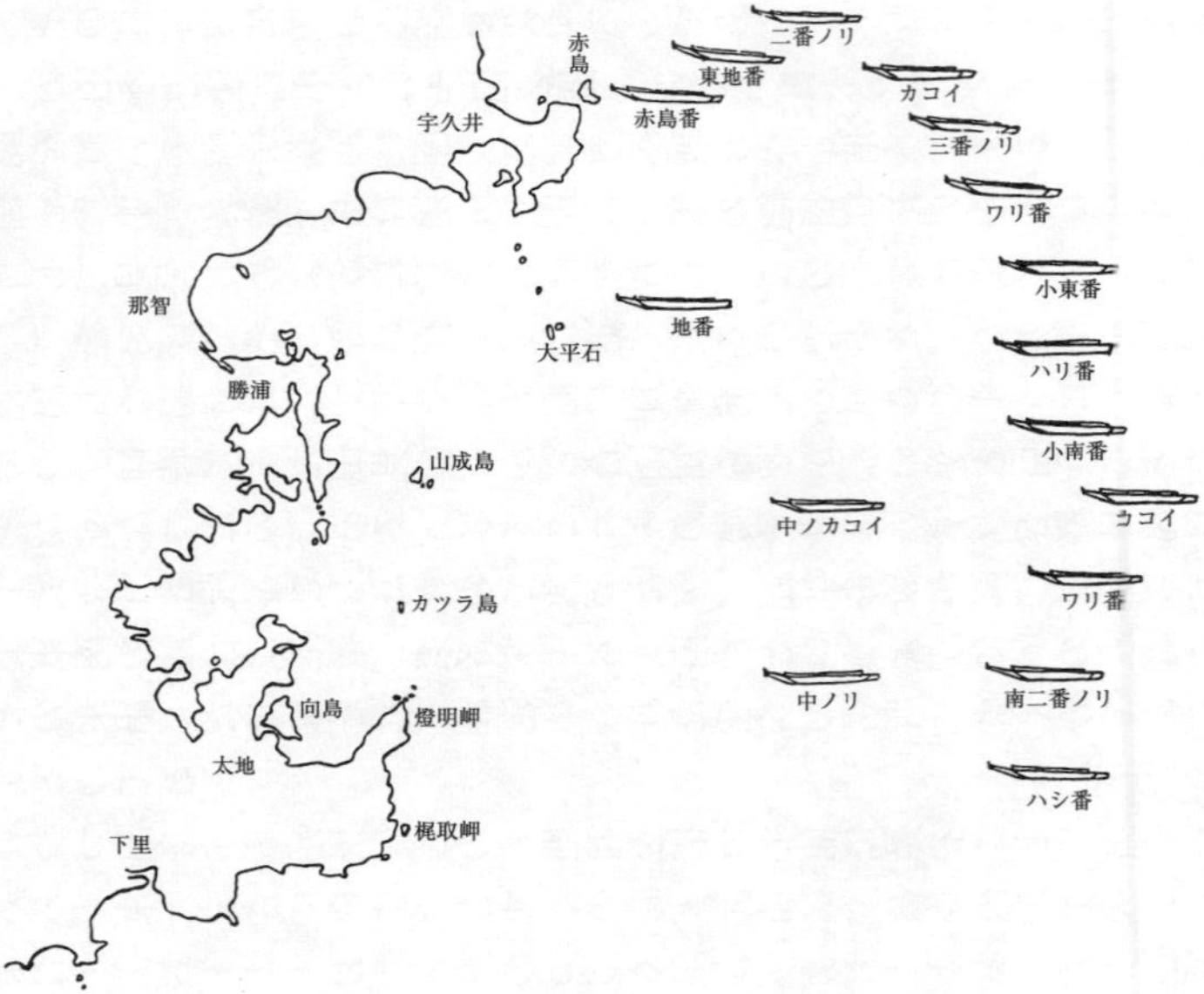

徳川中世紀時代太地捕鯨ノ全盛期ニ於ケル番船ノ配列番船ハ総テ勢子舩也

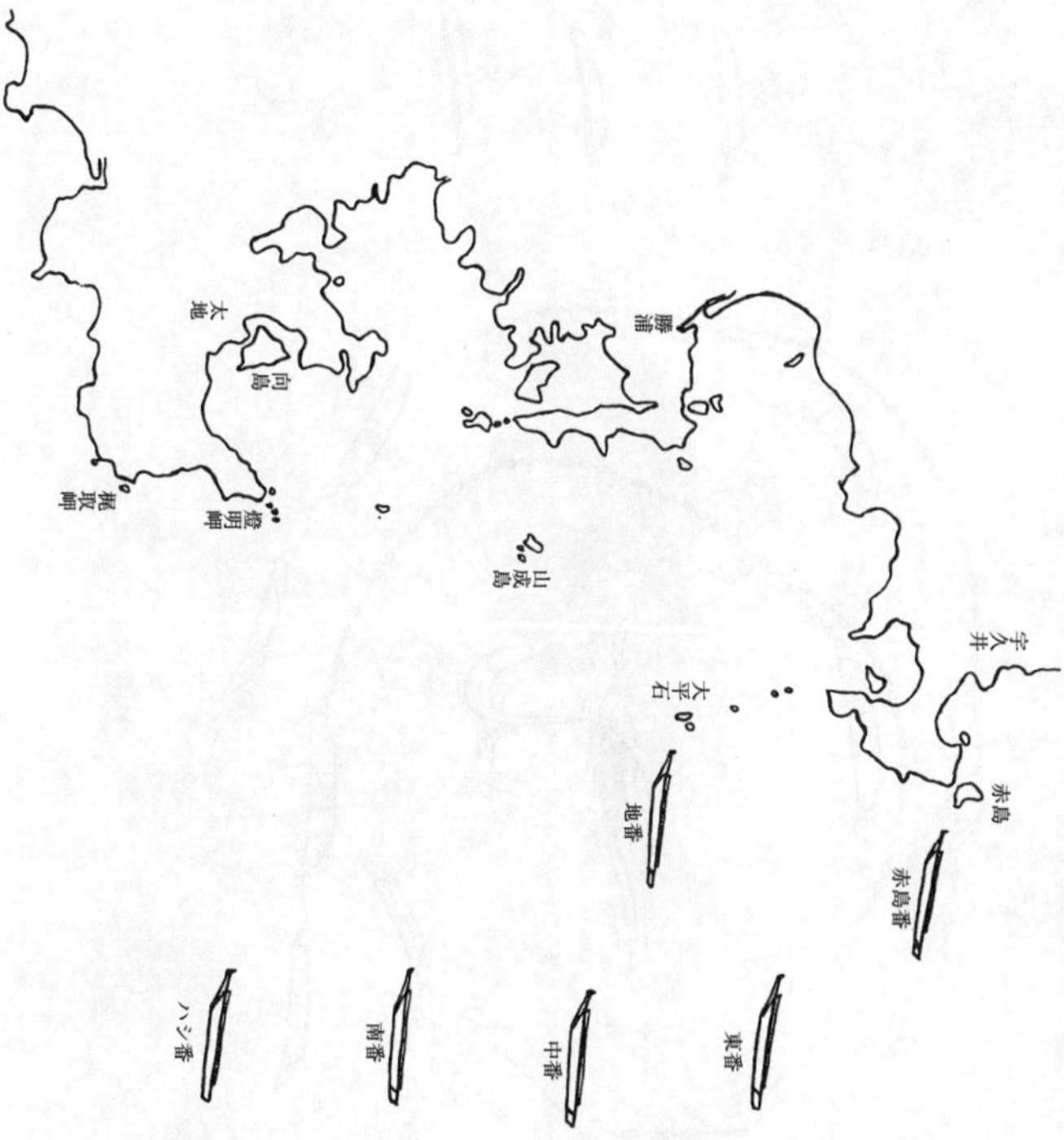

明治中世時代捕鯨
衰退期ニ於ケル番
舩ノ配列

網舟ノ配列及鯨ヲ
網中ニ囲ミタル時
勢子舟ノ陣立ノ図

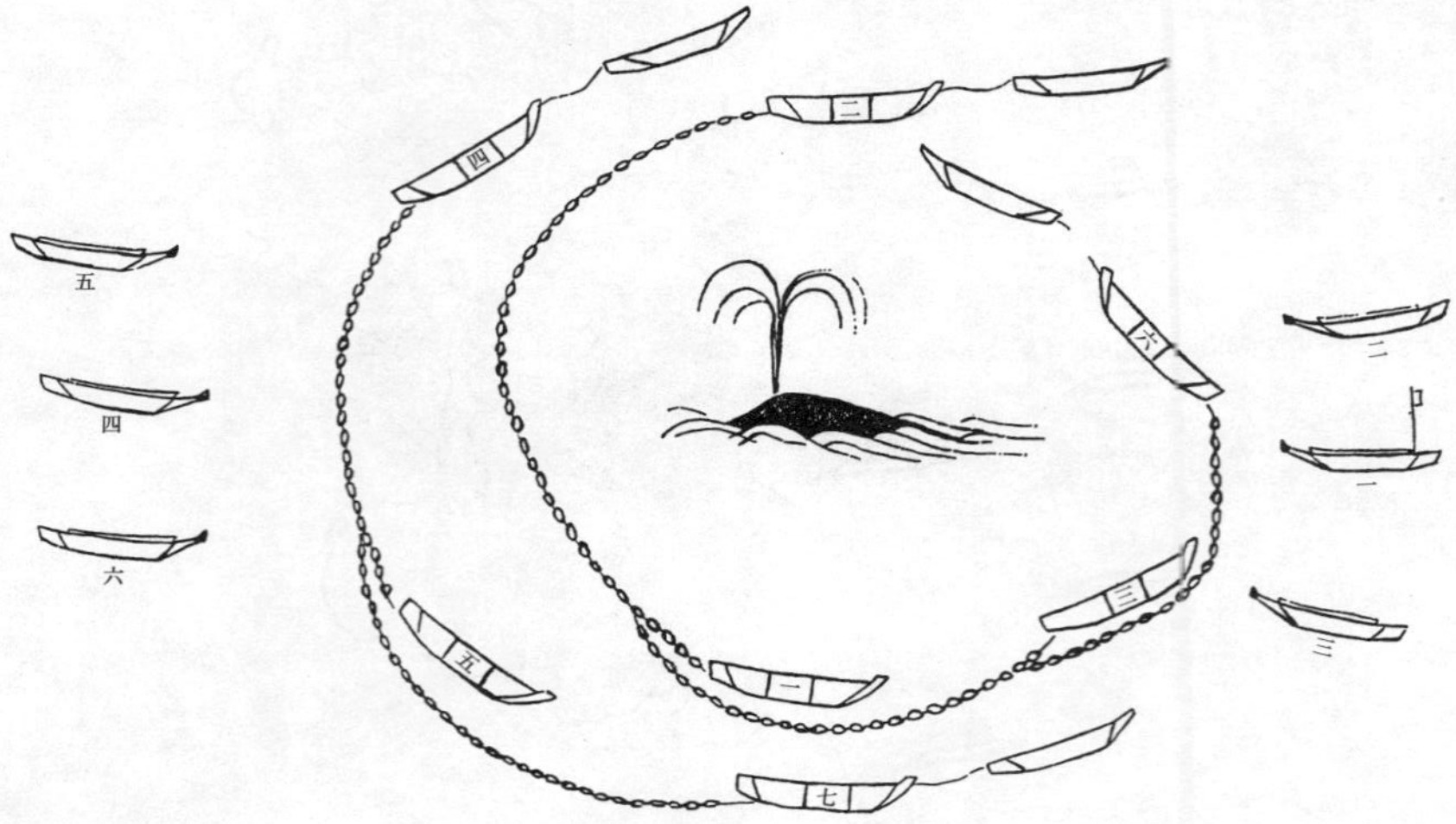

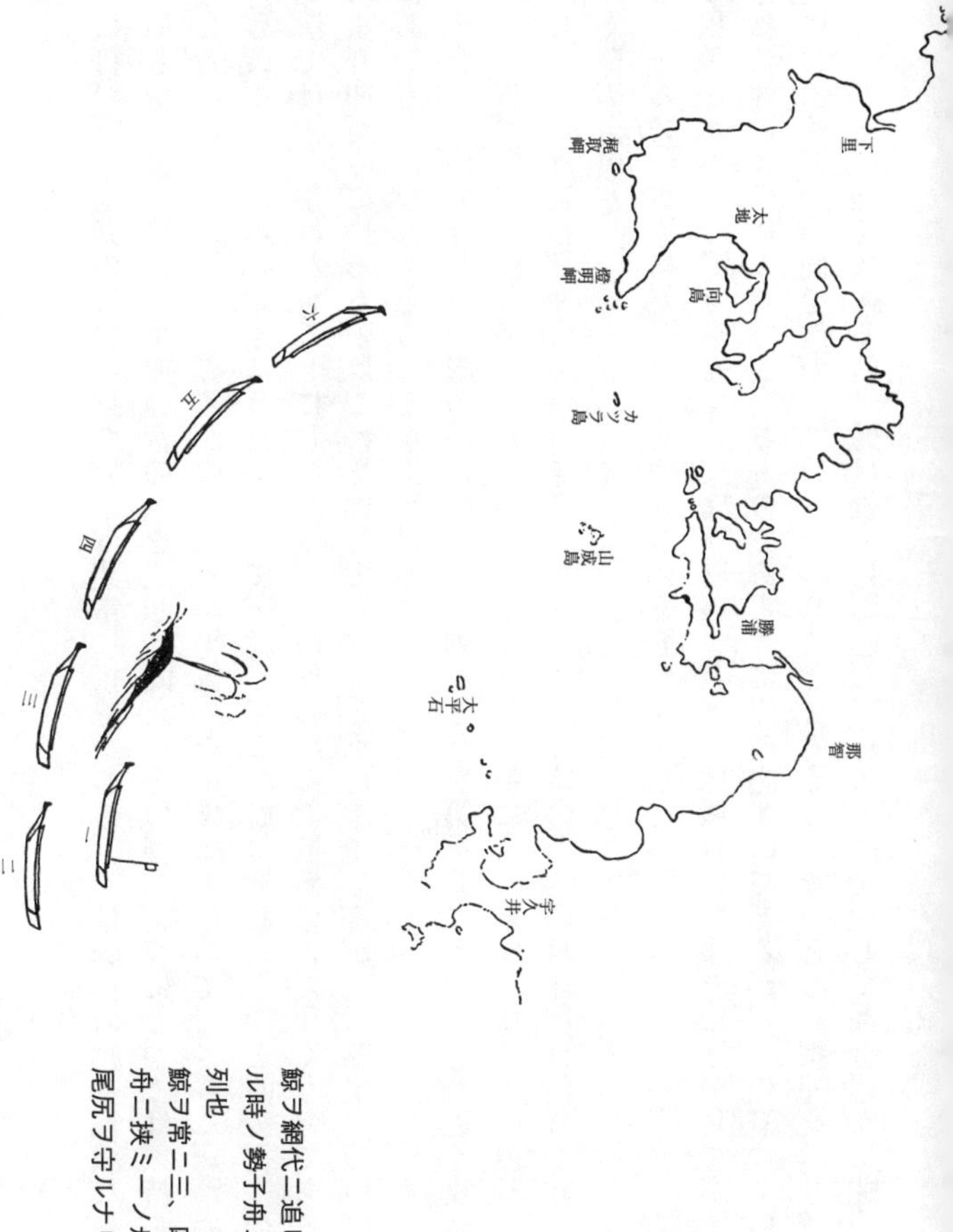

鯨ヲ網代ニ追ヒ来ル時ノ勢子舟ノ配列也
鯨ヲ常ニ三、四ノ舟ニ挟ミ一ノ舟ハ尾尻ヲ守ルナリ

のに打つ槌と遅鈍《ちどん》のものに打つ槌とは非常に相違がある。鯨は聴覚の頗る鋭敏なものであるから貫木《かんぬき》を打つ小槌の音の水を通して聞えるその響きが彼にとっては気持がよろしくないと見える。ところが中には一向平気でなんぼ槌を打ってもさらに驚かぬものもある。長須鯨《ながすくじら》の如きはそれであって、随ってこの鯨は捕れぬものとして従来の捕鯨法では手を付けないことにしてある。その他の鯨は大抵槌のよく利くものである。あまり沖遠くにいるものはこれを連れて来ること不可能であるが三、四里ぐらいの所にあるものは連れて来ることが出来得る。

さきにも申す通り舟は鯨の沖に回って陣列をとり次第次第に陸地に近く近く攻込むのである。指揮を採る勢子舟の羽刺は舳先《へさき》に立ち両手に白の采配を持って鯨の動きに応じて各舟々に指揮命令の信号を発している。この時の羽刺の身仕度は何《いず》れも鉢巻を固く締め白黒だんだらの大形縫合せの平袖襦袢《じゅばん》の肩脱ぎにして頗る緊張を示している。まるで一敵軍に対して攻め寄せる如き態度を示している。

相手が水中深く潜り込んでいて時々呼吸（普通一呼吸は十分より二十分位である。それは鯨の大小によりて異なるものである）に浮び出すのであるが、その潜っている内におよそどの方面を潜游していということを考えていないとこの指揮を誤り、槌の打ち方その当を失する時は鯨は後方に転回して舟の重囲《じゅうい》を脱して沖合遥かに遠く浮び出ることがあるのである。ゆえに指揮を採る羽刺の責任は頗る重大である。槌を打つのに鯨の頭の上で打ち込んだり、あるいは鯨を圏外において打ったりしてはついに沖に追出すおそれがありますから、常にその位置を知るということが大切であります。これも的確に識るということは至難であるけれどもほぼ推定するくらいは出来る。鯨が浮び出てしかして沈む時に尾羽《おばき》の振り動き様によってその方向を推測し得るのであるが、これはもっとも熟練せる羽刺漁夫《はざしぎょふ》の連中の第六感の働きにあらずんば素人《しろうと》の出来得るものではない。

それと今一つは潜游しているその水面に極めて薄い漣《さざなみ》のような水の動きを感ずる。これを「もうじ」といっている。しかしあまり水深の深い所では現れない。また風浪の高い時にも見分けはつき難いけれども大概《たいがい》この二つを標準として推定を下して尾尻《おじり》の舟は尾行する。その尾尻の舟を目標として槌を入れ、だんだんと網場へ、網場へと追って行くのであります。

ここで網舟《あみぶね》と持双《もっそう》とのお話を申上げる必要があります。網舟及び持双舟も未明に勢子舟より少し早く纜《ともづな》を解いて漕ぎ出すのである。それは勢子舟の如くに快速には進まないからである。網舟及び持双舟の掛場所《かかりばしょ》は燈明岬《とうみょうざき》と梶取岬《かじとりざき》の中央ぐらいのところに神《かみ》の浦《うら》という所がある。その沖合《おきあい》である。ここがちょうど網場の中程であるからである。鯨がだんだん網場近く追われて来るとさきに申しました山見の方で網を張る位置をきめ網舟及び持双舟に向かってその用意を命ずるのであるが、その順序は山見の方にて法螺貝《ほらがい》を吹き鳴らして采配を振って錨を揚げよと命ずる。各舟錨を抜くと今度は網舟上《のぼ》れまたは下れの合図をする。網を上《のぼ》すということは現地より東の方即ち燈明岬の方へ進めということであり、下れというのは梶取岬の方へ動けということである。

まず上る方として説明すると、この所へ網を張ればちょうど鯨を囲むであろうと思う網代《あじろ》の位置に達するまで貝を鳴らし采《さい》を振って舟を進める。このようにしてその位置に達した時に、止まれの命令が来る。そのときは舟の順位を立て直す。網舟にも一、二、三、四、五、というように順位があり、その順位によって何番の舟から網を張り始めてその次は何番と定まっている。また網を一重に張る時と二重に張る時と各舟の配置方が違うのである。それも山見の命令によるのである。

さてその準備が出来、鯨の模様を見計って山見より網張れの合図が来ると持双舟が網舟の先漕《さきこぎ》をして網舟が網を張りにかかる。網を張る張り方は一所《ひとところ》から右と左に別れて半円形強《はんえんけいきょう》に張る。その時鯨はすでに圏内に達している。残る半形を急に張り回してついに網中に納めるのであるが、ときとしてはあとの半形を張らない内に網にかかることがある。鯨が網に近寄りかかると一、二、三、の勢子舟は盛んに網中に追込むべく槌を打つ。四、五、六、以下の舟は網の後方に回って何《いず》れも銛《もり》の用意をする。

銛の種類も数種に分れている。勢子舟には銛掛《もりか》けというものが船首《みよし》に在って、これには常に早銛《はやもり》、差添銛《さしぞえもり》二本が用意してあり、何時でも打込む準備が出来ている。銛は初め打つのは早《はや》、差添《さしぞえ》の銛、この銛は銛の内にて一番細い方である。細い方よりだんだん太い方へ次第次第と移るので、初めに太い銛を打つと鯨が非常に強く荒れるから初めはなるべく細い柔かい銛を打つことにしている。この銛は目方五十匁《もんめ》〔約一八八グラム〕、長さ一尺七寸〔約五二センチメートル〕、これに丈《たけ》一丈一尺五寸〔約三・五メートル〕の樫《かし》の木の細い柄が付いている。次は下屋銛《げやもり》で早銛と同一寸法、次が角銛《かくもり》、目方百目《め》〔目＝匁。三七五グラム〕、長さ一尺七寸、柄の長さ一丈五寸、次は三百目銛《もり》で目方三百目〔約一・一三キログラム〕、長さはやはり一尺七寸で一丈の柄が付いている。次は手形銛《てがたもり》、万銛《よろずもり》、柱銛《はしらもり》、錨銛《いかりもり》、これらは目方も五百目〔約一・九キログラム〕、七百目〔約二・六キログラム〕位《ぐらい》、このほかに小剣《しょうけん》一貫五百目〔約五・六キログラム〕、中剣《ちゅうけん》一貫八百目〔六・七五キログラム〕、大剣《だいけん》二貫目〔七・五キログラム〕等がある。

　いよいよ鯨を網場まで連れて来て勢子舟の第一段の任務が終ると今度は第二段の任務に移るのである。それはさきに申した通り上《かみ》三艘《そう》と申して一、二、三の舟は鯨の後を追うて銛を打つ構《かまえ》を致すのであり、四、五以下の舟は鯨のさきに回り同様の構《かまえ》を致して鯨の網に掛るのを待っている。

かしこい奴になると網の周囲をぐるぐる回ってなかなか掛らない。左様な時には臨機の処置として山見《やまみ》より銛を打ての命令が来る。一本銛を打ち込む、そうするとその痛さですぐ網に突掛るのである。網に掛ると勢子舟《せこぶね》は鯨に向って突進、矢を射るが如き勢をもって追うて行く。この時は一、二、三の羽刺《はざし》を除いてほかはほとんど全部裸一貫の真裸で、褌《ふんどし》も黒、もしくは赤の木綿を二重回しに堅く締め込んで、恰《あたか》も力士の締込みのようである。羽刺は早銛を左の小脇にとり檣上（舳《へさき》の銛を打つ場所）に立って鯨の出浮く（呼吸に浮ぶ時）のを今か今かと待ち構えている。いずれも一番銛の功名手柄《こうみょうてがら》を握らんとあせっている。

鯨が水面近く浮き上らんとすると「もうじ」が現われる。すると小脇にした銛を左の手に持ち直し右手にて鯨に向って三回招く。いざいずれも銛を打たんというその刹那において悠々たる態度をもって鯨を招くこと三回、舟は矢の如く波を切って進む。動揺も頗る甚だしい。しかしながら檣上に立てる羽刺の姿勢はまったく舟に釘付にでもされたように微動だにしない。実に古武士の如き感が致すのである。鯨が頭を水面に持ち上げた時に銛はその方向高く空に向かってかまえて、鯨が潮を吹き背を現わした時に突き放つのである。すべて銛の突き方は鯨にすぐ刺し込むのでなく、一旦高く上空に突き上げてしかして鯨の上に落し込むのである。そうしないと肉深く刺し通らないからであります。

しかしこの銛を打つということは一種の技術で、なかなかむつかしい仕事で、銛の竿を放つ時に右の手の人差指と中指との少しのひねり加減である。十五、六尋《ひろ》〔約二七～二九メートル〕より約二十尋〔約三六メートル〕の距離のところに達せしめるのであるからかくして抛《ほう》らないと達しない。第一番に打つ銛は早銛《はやもり》と差添銛《さしぞえもり》でこれには十三尋〔約二三メートル〕の矢縄《やなわ》があり、その端に葛《かずら》というて太さ四、五寸〔約一二～一五センチメートル〕、直径七、八寸〔約二一～二四センチメートル〕の丸い輪がある。これは鉋《かんな》屑《くず》を縄にして作ったものでよく浮ぶようになっており、鯨が海中深く沈んでもこれによってその居所が分る。またその幾条となく流れる輪のために矢縄が鯨の尾羽《おばき》に巻きつき、自由を拘束するように出来ている。

早銛と差添銛とは恰も弓に早箭《はや》と乙箭《おとや》の有るが如きもので、まずこの二つの銛をもって一番銛を争うのである。一の銛を入れるとその舟はすぐ白旗《しろはた》を揚げる。二の銛、三の銛皆然りである。この二つの銛を各舟一巡打ち込むと次は三百目銛を急ぎ打ち込む。この銛には尻手《しりて》に鉤《かぎ》があってその鉤が網にかかるようになり、鯨が網を落すことのある場合にはこの鉤によって網を持たすのである。ゆえにこの銛はもっとも必要なる役目の銛である。これも相当の数を打ち込む。この矢縄《やなわ》は十六尋葛付《ひろかずらつ》きである。さらに鯨が網を落す心配のある場合には柱銛《はしらもり》、これは矢縄に帆柱《ほばしら》の中央部を結び付け打込む。または錨銛《いかりもり》これは矢縄に錨を括《くく》り付け打込むものである。いずれももし鯨が網を落してもその網が柱にむすぼり錨にかかりて重荷《おもに》になって進みかねるようにするためである。鯨の進行が鈍ると手形銛（穂先目方五百目〔約一・九キログラム〕）、万銛《よろずもり》（穂先目方八百目〔三キログラム〕）、矢縄いずれも七十尋〔約一二六メートル〕）これらの大銛を盛んに打ち込む。この時勢子舟《せこぶね》には持双舟《もっそうぶね》が付き添うてその七十尋の矢縄を勢子舟より受取り、この矢縄によって鯨を締付ける。このように持双棒という太さ二尺〔約六〇センチメートル〕ぐらい長さ三間〔約五・四メートル〕ぐらいの檜の棒をもって舟と舟とを結び付け、その間に鯨を挟《はさ》む用意をする。鯨は銛だけではなかなか殺せるものではない。

この時勢子舟は剣を切りにかかる。剣を切るというのは、大剣《だいけん》二貫目〔七・五キログラム〕、中剣《ちゅうけん》は一貫八百目〔六・七五キログラム〕、小剣《しょうけん》は一貫五百目〔約五・六キログラム〕、いずれも六尺〔約一・八メートル〕の柄を付けたものである。これを振揚げて腋壺《わきつぼ》（肋骨、肺の一部分）、盥《たらい》の回りぐらいのところへ向かって次から次へと勢子舟は代る代《がわ》る打ち込むのである。これは殺舟羽刺《ころしぶね》のする仕事である。剣を一本打込むとその傷口より吹き出す血潮はまったく太い噴水のようで、同時に潮吹きからも血潮を吹き出し、大きな声を放って荒れ狂う。その物凄き有様はとても形容のかぎりでない。鳴くと申しても牛馬の如く口を開いて鳴くにあらずして、息を吹き出す鼻口より洩れる響であるが、恰《あたか》も馬の嘶《いなな》くに似て大なるものである。実に天地を鳴動せしむる感が致すのである。剣を切っているものは勿論、乗組の漁夫も多くは為に血達磨《ちだるま》のように頭から真赤になってしまうのである。

勢子舟の入れ代り立ち代り切る剣によって鯨はだんだん衰えるが、殺してしまってはすぐ沈没して行くから、殺し切らない内に持双に掛けねばならぬ。持双に掛けるというのはさきに申した通り持双舟二隻の間に挟んで持双棒に括り付けることである。

ところがこの仕事が非常に至難の仕事である。持双舟に乗込《のりこみ》いる漁夫は老人子供が多いために他の舟に避難をさせて若羽刺《わかはざし》と刺水夫《さしかこ》との屈強な者と乗り代るのである。道具銛《どうぐもり》（手形、万、柱、錨、の各銛の事）を打ち剣を切る役目の舟は四、五以下の勢子舟であって四の舟の羽刺を執当《しっとう》という。これが殺舟の主位である。剣を切りつつある内に鼻を切るという仕事がある。これは鯨の鼻の右と左を切り開いてそれに綱を通す（恰も牛の鼻を通すように）のである。もしその時刻が早ければ切りに行くものが殺される心配があり、遅ければ鯨を沈没させてしまうことになる。

その時機を選ぶのが執当の役である。執当は鯨の衰えるに従ってその呼吸と自分の呼吸とを数え合せて、自分の呼吸を五回する内に鯨が一回、自分の四回する内に鯨が一回とだんだんその数が近くなって来ると、切れという命令を発するのであるが、それは自分の呼吸が三回、鯨が一回の時である。この時執当は声を張りあげて、「今度出たら（鯨の水面に現れ来ること）鼻やどー」と自分の鼻を指にて叩く。この鼻切はさきに申した通り刺水夫の仕事の内で頗る危険な仕事である。下手をやると鯨のために殺されるのである。志望の者はすでに用意をして懐中に庖丁を潜め帯を解き舟の一隅に座して命令を待っている。命令が下れば衣をぬぎすて忽《たちま》ち庖丁の背を口に啣《くわ》えて鯨の浮かびあがらぬ内に海中に躍込み争って鯨に泳ぎ着くのである。さきに鯨に手を触れた者が勝を制するのであって、その他の者は舟に戻る。勝を制したる者は鯨に抱きつくのであるが、その体巨大にして且《か》つ、つるつる滑って手掛りがないために、突き刺したる銛を堅く摑んで自分の体をべたりと鯨に添わして（この時、体が鯨に添わぬと鯨の沈むその勢いと渦に巻き込まれてしまう心配がある）ともに沈んで行く。この沈むその水深は、ほぼ鯨の身長を度としてそれよりは深く行かない。十尋〔約一八メートル〕の鯨なれば十尋、十五尋〔約二七メートル〕の鯨なれば十五尋ぐらい行くとそこで、動くことも得ず、静かにしている。その時庖丁を採って鼻を刺し通すのであるが、その刺す時に急に刺してはならぬ。まず極めて弱く浅く刺して見る。その時に刃にピリピリと感ずると時機が未だ早い。これを無理にやれば荒れ狂うて自分も一身を賭しねばならぬから早々鯨を離れて浮かび上り舟に戻ってさらにまた時を計って行くのである。

鼻を切ればすぐ鯨を離れて浮び揚がるとその時執当は「切ったか」と呼ぶ。「切った」と手を上げて答える。各舟々より「善《よ》した善《よ》した」と喝采をもって迎えられるのである。この仕事は鯨に止《とど》めを刺すと同様の仕事でもっとも大切なることなのである。次に直径一寸〔約三センチメートル〕ぐらいの太さの輪にした綱をもって鼻に通し、わさ〔輪差〕に掛けてこれへ太い綱を結び付ける。これは鼻漕《はなこ》ぎのためである。次には手《て》形《がた》を切る。これも鼻を切るとほとんど同様の危険な仕事で、鯨の浮び揚がるのを待ってその背に跨《またが》り、背鰭《せびれ》のところを切り通し、これに綱を掛けるのである。つぎに中《なか》どな下《した》どなというて鯨中央部（中どな）と腰部《ようぶ》（下どな）へ鯨の下へ綱を持って潜りぬけ、この綱をもって持双舟に組み合せている棒に締め括るのである。

かくして持双舟に組み込み致命の剣を切る。まずこれにて為留《しと》め得たりと見込の出来た時には持双舟以外の舟は鯨から遠ざかり、持双舟に乗りたるものも皆他の舟に避難をする。最後の始末をするために居残っている若羽刺《わかはざし》及び刺水夫《さしかこ》も任務が終ると海に飛入り他の舟に泳ぎ移るのであるが、この移る時に座頭鯨《ざとうくじら》の時には舟の舳《へさき》（舟首）の方より逃るのである。それは座頭鯨の頭は細いので万一の場合怪我が無いけれども、舟の中央より飛込むとこの鯨の手羽《たっぱ》（鰭《ひれ》）は頗る長いためにこれに撥《は》ねられる心配があり艫《とも》（舟尾）より逃げれば尾羽《おばき》にて打たれる惧《おそ》れがあるからである。背美鯨《せみくじら》の時には舟の中央部から逃げる。これは背美鯨の頭が殊に大きく尾羽も巨大であるから、もしこれに触れればひとたまりもなく撥《は》ね殺されるから、幸に手羽（鰭）が小さいので中央部より飛込むのが安全なのである。もし逃げ遅れると非常に危い。鯨の将《まさ》に往生せんとするその刹那の荒れ狂う勢いの恐ろしさとその力の甚だしい事は実に戦慄せずにはおれない。二隻の頑丈なる持双舟を自由自在に煽りたて引ずり回し、遂に粉砕せんかとも思われる位であるが、何分急所を十分に痛めつけられている為に永く荒れ狂う事も叶わずついに大往生を致すのである。水陸動物中この最巨大の生物の最期を見届ける時の心境は如何に国利民福の為とは申せその瞬間の気分は何ともいえない感に打たれるものである。心ある者は瞑目唱名《めいもくしょうみょう》を致す者さえある。

昔より今日に至り太地町の寺院に於いては鯨鯢《げいげい》の霊を祭り、盂蘭盆中《うらぼんちゅう》は懇《ねんごろ》に回向《えこう》弔いを致しているのでありますが、これは当然の事であろうと思う。さていよいよ往生すると各舟は何《いず》れも旆《はた》を翻し、勢子舟を先頭にして港内に漕ぎ寄せるのである。その漕いで来る内に道具《どうぐ》捌《さば》きといって打ち込んだる銛を抜き、網を脱《はず》し致すのであるが、これには相当の時間を要するものである。話は少しく戻りますが鯨を仕留めた時に勢子舟の内にて（多くの場合一の舟が其の任に当る）注進《ちゅうしん》というのがある。これはある一種の威勢のよい艫声を合唱して勢いよく漕ぎ来るのである。浜に着くと多数の者に迎えられ、羽刺《はざし》は刺水夫《さしかこ》を供に連れて事務所に来る。その様は実に凱旋将軍の観がある。

その時事務所の大広間には重役一同上座に控えて待っている。そこへ威風堂々と入り来り、下座に控えて一礼をなし「抑《そもそ》も今日《こんにち》の魚《うお》」はと説きおこし、鯨を発見したる時より仕留めるまでの経過を詳細に報告をするのである。この言葉遣い及び態度には一定の法則があって、それに準じて取り行う一つの儀式なのである。この式の終る頃、鯨はだんだんと浜に近づいて来るのである。

先ずこれにて一頭の鯨を仕止めるまでの大要でありますが、この機会に更に鯨の内の六鯨《げい》について少しばかりお話を致し、ほかに二、三の参考になるべき点を申上げて置きたいと存じます。暫《しば》らくの間、時間を拝借致しとう存じます。

六鯨の事

六鯨《げい》と申すのは背美鯨《せみくじら》、座頭鯨《ざとうくじら》、長須鯨《ながすくじら》、児鯨《こくじら》、鰹鯨《かつおくじら》（鰯鯨《いわしくじら》ともいう）、末香鯨《まっこうくじら》の六種《しゅ》を申すのであるが、この外に鯱鯨《しゃちくじら》、巨頭鯨《ごんどうくじら》（この巨頭鯨は頗る種類の多いものである）、黒《くろ》、いるか等数えればなかなか沢山な数になるのである。まず背美鯨より申上げる事にする。

背美鯨〔これ〕は鯨中の王者《おうじゃ》と呼ばるる程にてその性も頗る勇猛で頭部は巨大である。他鯨《たくじら》に比して廻りも太く（身長と胴の廻りと殆んど同一寸法という位に太いものである）尾羽《おばき》も厚くして大である。背美《せみ》には立鰭《たてひれ》〔背鰭《せびれ》〕は無く、背が綺麗な所から背美と称すと聞いている。表皮は漆黒であるが胸腹部は白く、手羽《たっぱ》の裏も白い。すべて丈夫に出来ているが手羽は割合に小さい。鼻（潮吹《しおふき》という）より上顎の中央にかけて表皮の隆起して山岳型をなせるものが三ヵ所ある。俗にこれを山という。喙《くちばし》の方に近く大なるものを一の山、次の中央部にあるのを二の山、次の潮吹に近い所にあるのを三の山という。表皮の黒皮も三、四分〔約九～一二ミリメートル〕の厚さがあり、白皮も七、八寸〔約二一～二四センチメートル〕より一尺〔約三〇センチメートル〕に及ぶものもある故に、銛《もり》を突いてもなかなか赤肉まで達しない。肉の味は甚だ美味である。口中に鯨鬚《くじらひげ》（エンバという）がある。上顎より下に向って生えているが、長きものは丈〔約三メートル〕余に及ぶものも少なくない。以て如何に頭部の巨大で口中の広大なる事を知る事が出来る。普通三、四尺〔約九〇～一二〇センチメートル〕より五尺〔約一五〇センチメートル〕位のものが多い。これは種々の細工に用うるので高価なものである。

この鯨の価格の大半は鬚の良否に依りて定まる位である。

熊野《くまの》沖《おき》に来るのは冬期より春の頃を多いとしてあるが、明治年代よりはその来る事少なくなり、巨大勇猛の割に捕り易い事もあるが又時としては手におえぬもので、明治十一年〔一八七八〕冬の如き捕鯨開始以来の大悲惨を惹起する如き事も致すのである。この事件の話は後にて申上ぐる事に致します。


その捕り易いというのは先に申しました手羽が小さい為で、網に掛けなくとも銛を一本入れると倒《こ》けるというて失神状態になり、進む事も退《ひ》く事もせずただ一所にてバタバタ暴れている。この機会に乗じて銛を突くのである。ところが倒けさせるには銛を打つに一定の場所があってその急所を突かねば駄目で、急所以外に銛を突いた場合には急速度の力を以て沖合に逸走して行くのである。その急所というのは腰部の上の方にゼビという所がある、その下部の所である。ところがその急所に突き入れて倒《こ》けている時に、又その急所に銛が突き入ると、今度は反対に覚醒して直ぐ逃げ出す。この時の勢いは頗る急にしてとても追撃を許さない。倒けたる時に銛を入れる事の出来ない所が二点ある。それはこの急所の外に頭部（ほべた）である。これに銛を入れると直ぐ正気付いて逸走し去るのである。うまく倒けさえすれば網を用いなくとも捕ることが出来るのである。

この鯨には大底《おおぞこ》をするという事がある。大底をするというのは海底深く潜り込んで仲々急には浮び出て来ない。四十分も五十分も行き込んで意外のところへ浮び出て来る。この場合には多くは数十本突き刺されてある銛を一本も残らず転身振落して来て悠々逸し去るものもある。かような鯨は到底捕うる事の出来得ぬものである。大背美《おおせみ》鯨《くじら》に多くある事で、先に申した通り白皮が厚い為に銛が肉迄達しないからである。

座頭《ざとう》鯨〔これ〕はその性、背美鯨に比すれば頗る柔順である。背に大きな立鰭《たてひれ》があって盲僧の琵琶を負いて行くに似たるに因《よ》りて名づくと大方の書物には見受けるけれども、実際この鯨を見ると左様な感はしない。要するに鯨の実物を見ずして誰かの話を聞いて、初めて書いたものが 禍《わざわい》 した付会の言と思う。座頭鯨《ざとうくじら》の頭は他鯨に比して扁平でその上に座すれば座し得る程度のものである故に、頭に座すという意にて座頭鯨と命じたものではあるまいかと思う。

表皮は黒く胸と腹のところに白い斑点があり大きな皺《しわ》が幾筋も縦に通ってある。これは多くものを食った時に相応に伸縮出来得る様に出来ているものかと思う。この皺は背美鯨には見ないが長須鯨《ながすくじら》、児鯨《こくじら》、鰯鯨《いわしくじら》には同様である。手羽《たっぱ》は頗る長くしてその裏は白い。肉も背美に次いで美味である。この鯨には牡蠣《かき》、虱《しらみ》等の寄生虫が多い。これが為に痩せ衰えたるものも時々見受ける。これは背美鯨の様に倒《こ》けない。どうしても網を掛けねば捕れない鯨で、昔は相当多く熊野沖に来たもので、時期は晩秋の頃より霜月の頃が最も多かった。明治中世の頃よりだんだんその数を減じて大正の頃には殆ど稀にしか来ない様になった。

長須鯨〔これ〕は鯨《くじら》中《ちゅう》魁《かい》たるもので大きいのになると九十尺〔約二七・三メートル〕以上のものもある。あまり大きいのとこの鯨は槌《つち》が利《き》かない為に他の鯨の様に網場に連れて来る事が出来ないのと、もし網に掛けても大概の網は鼻の先に引掛けてずんずん逃げて行くから太地の鯨方では捕れないものとしていた。恐らく全国に於いても旧式の捕鯨法では捕り得なかった事と思う。鯨の形は座頭鯨に似ているが立鰭はなく表皮は濃鼠《こいねず》色で、肉も美味でなく、ただ巨大なる為に価格は相当上る。明治の末大正の初頃より捕鯨法一変して何《いず》れもノールエ〔ノルウェー〕式を採用するに至りてより長須鯨は第一の目的物とせられて盛んに捕ることになった。熊野沖に来る時期は座頭捕《とり》とほぼ同一時期である。

児鯨　或る書物には雄《ゆう》を鯨《げい》というて雌《し》を鯢《げい》というのであるとあるが、鯢をこ、く、じ、らと太地方面では古来読み来ている。あるいは海鰌《くじら》と書き、あるいは海鰍《くじら》と書き又は勇魚《くじら》と書き、種々の文字を用いているが、通じて鯨の字を用いている。児鯨《こくじら》とは孩児《がいじ》の称《しょう》に非ずして一種の種類である。この鯨は背美、座頭の如く大きなものに非ずして小形であり、且つおぼこの様な形をしている所から児鯨と命名したものではあるまいかと思う。表皮は青黒色であって処々に白の斑点がある、寄生虫も座頭鯨以上に甚しく、エンバは白色で小さい。以前は殆ど捨てて用をなさなかったものであるが近来は巻煙草入《まきたばこいれ》又は袋物細工《ふくろものさいく》、編物《あみもの》などによく用いてある。肉は美味の方である。熊野沖に来る時期は多く冬至の頃より春の末頃までとする。網を用いずとも銛にて突き取る事が出来るのである。

鰹鯨（鰯鯨《いわしくじら》ともいう）この鯨の形は座頭鯨に似てその小なるものである。好んで鰯を食う。鰯には鰹のよく付くもので、随ってこの鯨と鰹と同棲する様にも見える所よりこの名称があるのであるまいかと思う。肉もかなり美味である。この鯨に似たるものにて「似《に》たり鯨《くじら》」というのがある。それは児鯨にも似ているのである。漁夫の話では児鯨と交尾して産まれたものであるからどちらにも似ているので「似たり鯨」というのであるとの事である。あるいは真説かもしれぬ。これらの鯨の来る時期は冬期より春期に多い。

末香鯨　一名麝香鯨《じゃこうくじら》、抹香鯨《まっこうくじら》とも書く。表皮は鼠色《ねずみいろ》であってその形も背美、座頭の如き有鬚鯨《ゆうしゅげい》と異なって、頭部は丸形で頗る大である。この鯨は肉は甚だ不味である。全身脂肪に富み殊に頭部が大きくて、脳油を多く汲み採る事が出来る。この脳油は他の鯨油に比して高価である。要するにこの鯨の価値は脳油にあるのである。少し大きなものは脳油だけ四、五十石〔約七二〇〇～九〇〇〇リットル〕も採る事がある。それから歯である。歯は下顎に四十八本ある。その質は象牙に似て非常に光沢もあり細工用として称揚《しょうよう》されている。

又稀にその腸中《ちょうちゅう》に竜涎香《りゅうぜんこう》という高価の香料として薬品として珍重されるものがある事がある。俗にこれを鯨糞《げいふん》といっているが大腸中にあって大きいものは大人の頭位もあり、外面は皆屎《みなし》のかたまりのようなものでこれを洗剔《せんてき》し去ると中に又烏賊骨《いかほね》が周《しゅう》匝粘着《そうねんちゃく》してある。更にこれを刮去《かっきょ》するとその中に小塊をなしているものが即ち竜涎香なのである。しかしなかなか稀であって百頭の内に一頭もあるかなしであるとの事である。この鯨は性最も遅鈍《ちどん》であって十数本の銛にても仕止める事が出来、死しても他鯨の如く沈まず、時としては一隻の舟にて二頭も仕止める事がある。熊野沖に来る季節は春期より初夏の頃に多いのである。

以上六鯨についての大要であるがこの外に鯱鯨《しゃちくじら》というのがある。一名「さかまた」ともいう。表皮は漆黒であって眼の上に白斑があり腹もまた白く、背には厚くて大きい背鰭《せびれ》がある。性頗る兇猛《きょうもう》で、鯨属中実に恐るべきものとして俗にこれを海《うみ》狼《おおかみ》と称する位であって、丈夫な歯が上下顎に鋭く他の鯨を襲うので背美鯨《せみくじら》の雄大をもってして尚且つ及ばぬというのである。それはこの鋭き牙を以て咬みつくからである。肉はあまり美味ではない。熊野沖に来る時期は別に一定しないが春夏頃が多いように思う。古老の話によるとこの鯨はよく群をなしていて、その時他の鯨に出会うと直ぐ襲撃する。背美、長須等の大鯨に迫る時の如きは腰のあたりを強く咬み付くと咬まれたものは口を開いて荒れ狂う。その時他の友鯨《ゆうげい》が半身を口中に飛入りて舌を咬み切る。このように殺して終《しま》うという事である。時々大鯨が鯱鯨《しゃちくじら》に咬み殺され肉の処々を食いとられているのを見ることがあるとの事である。

この外巨頭《ごんどう》というのがある。これは種類が多い。沖巨頭《おきごんどう》。真巨頭《まごんどう》。手羽長《たっぱなが》。何《いず》れも肉は不味であるが缶詰又は塩をして干物となす。皮は油を搾取するのである。これらの来る時期は晩春の頃より夏を通じて秋までも来る。この鯨は他では捕らない、殆ど全国にて太地だけらしい。二、三年前より廻網《まきあみ》を以ていわゆる一網打尽、数十頭を一挙に捕獲するのである。この種の鯨は身長八、九尺〔約二・四〜二・七メートル〕より大きなものにて一丈二、三尺〔約三・六〜三・九メートル〕に過ぎないもので、常に群をなしているのである。

今より約四十四、五年前、羽刺《はざし》に漁野富大夫《りようのとみたゆう》という者があって、これは明治時代に於ける捕鯨史には、特筆すべき男なのである。捕鯨の術には頗る特長のある男で、この男が巨頭鯨を網を以て囲捕《かこいと》りする事が出来るという事を考え、一時藁縄《わらなわ》を以て網を作り試験をしたが、巻く事は巻き得たけれども、巻いてからこれを如何にして捕るかという事が未だ研究中であったが、その内に逝去してこの事は遂に蹟《あと》を嗣いで研究する者も無く、今日に至ったのである。

その間に於いて今一つ話しておかねばならぬのは前田銃《まえだじゆう》という銛を打ち出す銃の発明者のことである。太地町の人で前田兼蔵《けんぞう》という人が元来漁夫の家に生れ子供の時分から天渡《てんとう》（巨頭鯨を捕うる旧式の捕鯨舟で銛を以て突き捕うる方式である。この舟は随分遠く沖に出て行き水天髣髴《ほうふつ》たる所まで出で働くのである。左様な所よりこの舟を天渡と命名せしならんか）に乗り巨頭鯨を捕りに行く一員であったが、青年時代に米国に渡り種々の労働に従事する内、銃砲に関係ある事業に従事しそこにて種々研究して一発に銛三挺《ちょう》飛出す銃を発明し（後、五挺飛出す事に改良す）、その結果頗る良好にて従来の手突の銛は全部自然に廃止され前田銃を用いる事になった。前田氏が帰朝の数年前竹村京次《たけむらきょうじ》という男も米国に出働きに行き、帰朝の時一挺の銃を携え来り、これに銛を仕込みて発射する試験をなし、これも成績良好という事でいよいよ実地に応用する事になり出漁して初めて実験の時に、如何なる事であったか発砲すると銃の尻が飛んで自分の額に当り即死した事がある。この竹村の銃の研究が十分出来てあったら、前田式と相対して竹村式《たけむらしき》というものが残っているかも知れなかったのである。実に気の毒な事でした。

今使用している巻〔廻〕網の発明者というのも先き申した富大夫《とみたゆう》の事業を遂行したといってもよい様な事である。この人は奥家七《おくいえしち》という太地町の人でこの人も一漁夫の家に生れ青年の頃米国に渡り種々の事業に従事している内、巻《ま》き取網《とりあみ》の漁夫として雇われ働く内種々研究に研究を重ね、帰朝してからある事業家の後援により遂に目的を達成したのである。奥氏《おくし》の発明にかかる廻網《まきあみ》も富大夫の考えたものと殆ど同様の様に思うが、富大夫の考えた時代には今日の如く漁船に発動機《はつどうき》を応用するという様な事は無く、舟を動かすには櫓と帆より外《ほか》無い時代であったから今日とは全く隔世の感がある。もし富大夫の時に今日程進歩せる漁具漁船があったならば、それはたしかに完全なる発明の完成が出来ていたに相違ないと思う。奥氏の発明も鯨を網に巻きこむ事は出来るがその鯨を舟に取り入れる点について苦心されたらしい。初めは網に締めた鯨を浮き揚げ、このようにしてその尾羽《おばき》を鐶《かん》で挟んで生きたままウインチに巻きあげて舟に取り入れる考えであったが、鐶に挟むという事が思う様に行かない。

そこで鯨をたいていに締めつけると鯨の泳いでいる網の中へ人間が飛び込んで、その泳いでいる鯨の尾羽を綱で括《くく》る。このようにしてウインチで巻き揚げて舟に取り入れる。この鯨の中へ人間が飛び込んで鯨を括るという事がなかなか容易の仕事でない。鯨も一頭か二頭位なればともかく、幾十頭とある中へ殊に巨頭鯨《ごんどうくじら》は牙の最も鋭いものである。万一咬み付く様なことでもあれば、ひとたまりもなく殺されるのである。ところがこの鯨は性最も遅鈍《ちどん》である。その習性をよく識ってあるからこの仕事が出来たものであるが、これはおそらく太地町の漁夫以外にはとても出来ぬ仕事と思う。

然しまだ改良の要は無いでも無いと思う。それは事業の割合に費用があまり多く要して収支計算が立ち兼ねる点である。とにかく太地町の人は捕鯨という事に就いての研究心は先天的に働く様に思う、幾百年の歴史を有する捕鯨地として当然の事かも知れぬ。

鯨切り捌きの事

以上を以て鯨を捕る大要を御説明致した事であるが、さてその鯨を如何に処分をするかという事を御話し申上げたいのである。

鯨が浜に着くと（浜と申すは太地町氏神飛鳥《あすか》神社の前の浜である）浜で到着合図の法螺貝《ほらがい》を吹く。それ以前解体準備係はそれぞれ任務の部署に就いて用意は出来ている、その場所には木で作った矢来《やらい》を以て囲い、みだりに係の者以外の出入を禁じてその内の一段高き所に番納屋《ばんなや》という小さな建物がある、この内には係の主任四、五人が控えて囲内《かこいうち》一目に見える様にして監督をしている。何《いず》れも打裂羽織《ぶっさきばおり》に裁著袴《たつけばかま》を着け、陣笠《じんがさ》を冠り長柄の手鉤《てかぎ》を杖《つい》て要所要所を監督するのである。この解体の人夫も相当多いがこの名称を分けると、

魚切《うおきり》　これは鯨を切り捌《さば》く役

頭仲間《かばちなかま》　これは切り捌きにつき轆轤《ろくろ》を巻き種々の作業を務める役

鉤棒《づりぼう》（一種の方言）　これは切り捌きたる肉や臓物などを二人一組となり縄に鉤の付きたるものにて担い運ぶ役

その他筋納屋番《すじなやばん》、骨納屋番《ほねなやばん》等がある。

鯨を浜に着けるのは頭を沖に尾羽《おばき》を陸に向けて置き、その尾羽に太き綱を括り轆轤を以て出来得るだけ浜に巻き揚げるのであるが、何分巨大のものであるから水に浮く程度以上は動かない。それで通船《かよいせん》というのが二隻左右に着いてある。その一隻には先に申した監督の一人が乗り込んで先ず第一にその鯨の寸尺を測らすのである。その測り方は鯨尺五尺〔約一・九メートル〕を以て一尋《ひろ》と定めた尺を以て測るのであるが、全身長を測るので無く鼻（潮吹）より肛門所までを測って幾尋何尺というのである（今日では全身長を何十何尺と呼ぶ事になっている）。

その報告を受けてから庖丁を入れるのであるが、庖丁は長柄と称して恰《あたか》も薙刀《なぎなた》の様な、長さも殆ど同様位のものである。庖丁を入れる時には数名の魚切は其長《そのちょう》を先にして鯨の上に跪《ひざまず》き監督の命を待つのである。命が下ると魚切頭《うおきりがしら》は一礼して潮吹より少しく背の方に向った所より横に一文字に切り始め次第次第に各々庖丁を加えて行くのであるが、その切り方に一定の方式が定ってある。然らざればなかなか順序よく切り捌きの出来るものではない。陸上に二台の轆轤が南と北に据付けてあって、これより太き縄が掛けられてこれにて引張りつつ切って行くのである。その切り落したる皮及び肉は各々名称があって、その置場所も一定の所に整理しつつ並べて行くのである。旧藩主時代にはその肉及び皮の一番好い所を年々献上したもので、これを御用鯨と称して特別の取扱をしたものである。鯨はあれだけ巨大なものであるが何一つ廃物にする所の無いもので一片洩らさず売却してしまうのである。

解体する内に魚切《うおきり》の方《ほう》で肉片の大きなものを幾切れとなく監督の目を忍んで海中に切り落し、あとにてこれを拾い上げ売却して分配するという悪い者もあり、鉤棒《づりぼう》の方《ほう》でも二人前後になり担って行く内に肉片を足で踏まえて切り取り、これを懐にする見下げた者もあり、又漁夫の妻女達が鋭利な刃物を懐にして事に托して囲の内に入り来り、あるいは監督の間隙《すき》を狙って矢来を潜り来りて肉を盗み切りて逃げ去る者もある。矢来の内も相当の人数であるが、外は見物で人の山であるから少しのすきに乗じて入り来ることはさほどむつかしい事では無いのである。私共も子供の時分には小さい装束をこしらえて貰って、長柄の鉤を持って番をしに行ったものであるが、行く時には母によく注意して聞かされた事は「決して無理に叱ったり殴ったりするので無い。大概の時は見ぬふりして切らしてやる様にしなければいかんよ。妻女達が少々切っていったからとて何程の事もなく、殊にあの妻女達の夫が沖で働いてくれるから捕れる鯨であるからねー」とは時々聞かされたことであった。

鯨が捕れると七浦を潤すという事を熊野では申すが、今日から考えれば実に不経済な大《おお》まかな所が多い様に思う。然しこれは一面に於いてただ自己の営利という事ではなく、先にも申しました様に一種の地方救済事業であったのである。切り捌いたものは皆入札売却するのであるが、一口にして売る事は出来ないから幾部類にも分けて売るのである。今日の様に冷蔵貯蔵など出来ない時代であるから、肉はことごとく塩漬けに致して大阪、兵庫、熱田、四日市等に積出し、これも汽船便など無いから和船の百石位の舟で運んだものである。この舟の名を五十集《いさば》船と称した。皮は殆ど釜煎りにして油をとり、これも同様の地方に送ったものである。

先に申した通り鯨はあれだけの大きなものであるが何一つ捨てる所の無いもので、皮肉は無論のこと内臓全部食用に料理は出来る。骨も軟骨は食料に製する。硬骨は砕いて油を搾って糟《かす》は肥料にする。血も汲み取りて肥料となすという様に一片も捨てる所は無い。切り捌きの方について今少し詳しく御話し致す筈でありますが、これはあまり趣味の乏しい話でありますので略する事に致します。

明治十一年の大惨事

大体以上を以て太地捕鯨の御話は終りと致します。長い歴史を有しておりましたこの事業も、明治十一年〔一八七八〕寅の歳十二月二十四日背美鯨《せみくじら》の児持《こもち》を捕えんとして作業中北東の強風に吹き捲《ま》くられ、勢子《せこ》、持双《もつそう》殆《ほとん》ど舟全部（網舟《あみぶね》を除き）漂流、百有余人の漁夫を殺したる一大悲惨事に遭遇した事がある。

実にこれは捕鯨事業開始以来の大出来事であって、これが為に七百年にある歴史を有する熊野捕鯨事業も終末の幕を鎖《とざ》さざるを得ない事に立ち到ったのである。無論その後といえども辛うじて継続は致しておったが、本舞台既にこの時その生命を失うたのである。もしこの時に旧藩時代であって藩の後援を願う事が出来得たのであったならば完全なる再興は出来たであろうと思う。当時の関係者達は是非再興せしむべくその資本家を需《もと》むる事に少なからず苦心を致したが、その目的を達成し得ず、角右衛《かくえ》門《もん》の如きもこれが為に遂に破産の止むなきに立ち到り一門悉《ことごと》く枕を並べて討死同様の体となったのである。

この遭難に就いての当時の模様を御話し申上げて置きたいと存じます。鯨捕りをする者の戒めの言葉の内に、「背美の児持は夢にも視るな」という事があります。それは母性愛の強き鯨、殊に先に申しました背美という鯨は頗る勇猛性に富んだものでありまする為に、万一児の方に手出しをすれば親はあばれ出す、親に手出しすれば児を思う一念更にあばれまわるという訳で、なかなか一通りにて捕え得るもので無いのであります。故に背美の児持は相手にしない方が宜しいという戒めなのであります。

　この日の鯨はその児持の背美鯨であり、時間も夕暮近い時刻で、殊に天候も宜しく無いので、山檀那《やまだんな》役《やく》の和田《わだ》金《きん》右《え》衛門《もん》は一同の者に令を下して、本年は不漁であり正月も差し迫って来ているので是非この鯨を捕りたいと思うが、魚も殊に大きく天候と時間を考えるととても仕《し》留《と》め得《う》るとも思えないから遺憾ながらこれは逃してやる事に致すと申している所へ、角右衛門参り来りしによりこの由報告に及ぶと、角右衛門大いに怒り、この天の与えられたる大鯨を逃し遣《や》るとは何事ぞ、是非用意の命令を発せられたいとの事である。

　そこで両者意見の相違より互に持論を譲らず、鯨は段々網場に接近し来るので、金右衛門は遂に席を蹴って立ち、仕度納屋《したくなや》に引下り、角右衛門自ら命を下して作業に就かしめた。案ずるにこの両者の意見は互に無理ならぬ所がある。金右衛門の方は多年の経験より技術的に見てこれは到底捕り得ない、無理をやれば意外の椿事《ちんじ》を引き起すかも知らぬ、残念ではあるがむしろ手を着けない方が宜しいという穏健なる意見。角右衛門の方は今年は不漁であって年末の支払にはどうする事も出来ぬ、今この大鯨の来りた事は天の与えである。捕うる事が出来ねば致し方が無いが捕り得たなれば楽な年越が出来るという経営者としての打算的意見である。

角右衛門は常に進取的人物で、三輪崎古座《みわさきこざ》の捕鯨権も一手に収め、更に進んで蝦夷《えぞ》の捕鯨の開拓を試みんと欲して調査をさせた事もある位にて資金の充実が許すなれば向うへ向うへと開拓する素質の人である。金右衛門は穏健着実一歩一歩踏み締めて過ちなく進む主義の人である。両者は従兄弟《いとこ》で金右衛門は従兄《あに》で宗家《そうけ》であり、角右衛門は従弟《おとうと》で事業の宰領であり、性高慢なる方でなかなか人の注意を容れる雅量に乏しい方であった。金右衛門は後見役の立場より常に注意を加えたが更に用いず、遂に破滅の運命に到りた事は遺憾に堪えぬ。

さて、鯨は網に掛りはしたがそのまま東南東の沖合へと逸し、舟はこれを追うて行く内に北東の風強く吹き荒《すさ》みその内夜に入りし為、遂に如何ともなし得ず吹き流される内に黒潮の流れに乗せられ大事を招来するに到ったのである。幸に金右衛門の手記になる日誌が遺されているので御参考に供する事と致します。

明治十一年寅十二月二十四日　旧十二月朔日也

背美流れの扣《ひか》へ　和田金右衛門

二四日　雨天　北東風吹　八つ時（午後三時頃）三輪崎網下り参り候《そうろう》に付《つき》（網下るとは三輪崎の網代より太地の沖の方へ網舟の来る事）当組東番差（は太地組の背子《せこ》舟の東の張番が幡を揚げて鯨の発見をなす事）其内三輪崎網置掛け候処魚は南へ参り那智前にて（那智前は宇久井勝浦中間の沖合の事）魚見定め候て大印を上げ候処（之れは先の背子舟が鯨の種類を見定めて幡を以て合図した事）背美の児持にて有之網前にて置き候へ共《ども》（網前に置くというは東明崎《とうみょうざき》（燈明岬）の前に網を張りたという事）魚網へ当り内海へ行（内海へ行くは太地の湾内に行く事）其内上り汐早く相成網切〳〵に相成候に付六ノ網七ノ網二隻高見の下へ持ち行き置廻し六の網母（鯨の）一反持ち（持ちは被る事）子二反持候へ共網落し母へ道具突の内（道具は銛の事）夜に入り沖間見へ不中《もうさず》夜の内火も段々沖へ引け行き候様相見へ夜中之事故見留附き不申候

二五日　晴天　小西気　和海　東明より（東明崎の事）昨日の魚相尋《たずね》候へ共見へ不申それより高山（太地町西方にある高峯）へ参り候へ共見へ不申小文次、林蔵幷《ならび》に次郎平樫の上（之も高山に連る高峯）へ遣《つかわ》し候処同所より見出候て皆々同所へ参り候処段々沖へ引け行く又々高き処へ参り見及候処先十五六里計《ばかり》之処に見へ有之候内夜に入候而皆々心配致候也夕刻直大夫舟参り申出候には今四ツ時〔午前十時頃〕魚留候へ共米水に切れ有之候付右品取に参り候と申参り候に付夫《それ》より伊豆鮪船外の鮪船（この頃伊豆より太地へ鮪漁に出で来る者多し）相頼み米水沢山持せ直大夫舟も同道致し七ツ頃〔午後四時頃〕出船致其内又々夜に入り候也

二六日　晴天　大西吹き　今朝も樫の上へ参り候へ共見へ不申小文次、栄治、林蔵、魚切《うおきり》条八右四人妙法山へ遣し候而佐与平、友蔵、八郎が峯へ遣す多喜平、林七、次郎平かし崎へ遣し大さわぎに相成候其内下里の人内海船に乗有之候人被申《もうされ》候には新鹿前道六七里の処に太地鯨船と相見へ二十隻計り赤き帆引有之候を見参り候との様子に付又々同所へ追々尋遣し候処其よし申参り候に付伊豆船一隻漁舟二隻右の舟へ直大夫網羽差《はざし》四五名乗合東の地方へ八ツ時より遣し候也右直大夫其夜に又々帰り甚だ不都合千万也

二七日　晴天　小西気　和海　夜十二時頃要大夫舟水主《かこ》都合十一人大引鮪舟（日高郡大引）に助けられ無事帰著《きちゃく》致候而要大夫沖上り口上には二十五日夕刻魚捨候（魚捨は鯨を殺して持双《もっそう》に掛け曳航をなしつつありしも鯨の大きい為思ふ様に舟

進み得ず加之西の強風に制せられ各舟危険に陥りし為に折角捕へし鯨捨てたるなり）而地方へ押上り候内夜に入り西風吹き来り夜明て候処地山見へ不申皆々綱を入候へ共（綱を入れは各舟綱と綱にて繫合《つなぎあ》ひ行動を共にして共に助かるか共に死するか決死の盟を結ぶ事なり）何分風吹き来り候に付打流れ其内私舟、富大夫舟、次郎大夫舟右の三隻綱放れ高へおし込候（高へは地方《じかた》の事）内富大夫櫓を折り候而外舟へ行き其内私舟なけ破り候処へ鮪舟参り此舟に助けられ帰り候外舟は相分り不申との事申出候

廿八日　晴天　小西気　和海　舟々見へ不申今日も栄治、林蔵、友蔵右三人八郎峯へ遣す然る所夜十時頃阿田和より態《わざわざ》人参り候には今日次郎大夫舟二木島へ着致しよし申参り候

廿九日　雨天　夜風気　和海　八ツ時次郎大夫舟無事着致て水主共申出候には外に三隻何《いず》れもおし上り候由右水主共申出候然る処夜十時頃阿田和より又々申参り候には富大夫船水主延大夫舟水主持双益大夫舟に乗組候て浦神孫市舟に助けられ候を当村より尋遣し候イサバ三木崎にて出合右舟へ又々乗り二木島へ着致候由申参り候処十二時頃右舟着致何れも無事に候へ共二十五人の内伊大夫忰《せがれ》初大夫水主の内与平八、勇右衛門安蔵幷に同忰都合五人死し外は無事也

三十日　晴天　小西吹　未明阿田和村より態人参り候には三木崎下り松と申処へ持双壱隻へ羽差之内国大夫、米大夫外水主都合二十八人乗組無事着有之候由申来る

三十一日　晴天　小西吹　夜十二時頃下り松へ着致有之候国大夫、米大夫乗組候舟着致す国大夫申出候には此処三十一乗組有之候へ共夜の内に三人浪に払《はらわ》れ残り二十八人着之由申出候右溺死之内佐六網舟雇水主の内八千松と健作弟音松三人也

一月一日、二日、三日、四日（記事無し）

五日　晴天　小西気　和海　二時頃先日尋ね遣し有之候漁舟にて健八、清兵衛帰り候て申候には崎島辺より浪切迄参り候へ共一向相分り不申候様子申出候

六日　晴天　和海　先日串本よりイサバ一隻尋舟に遣し呉れ有之候舟にて直大夫乗組にて下筋へ遣し有之候処今日十二時頃帰り候而直大夫申候には浦々相尋ね鳥羽迄参り候へ共一向相分り不申よし申出候

右に付行方知れ不申羽差幷に差水主其外水主の者百十六人右の内ムシマの雇水主拾人

羽差沖合辰大夫、下羽差角大夫、権大夫、次郎大夫、沢大夫、友大夫、千代大夫、千万大夫、松大夫、徳大夫、浪大夫、八与大夫、豊大夫、差水主、近大夫、左五大夫、玉大夫、一大夫、神大夫、千万大夫、千万平、万喜大夫、逸大夫悴音

松
其外水主中大納屋内権太郎筋納屋の内竹助、和三郎、千代平
一類中の和田又一郎
右の筋行方知れ不申候
羽差直大夫、要大夫、富大夫、国大夫、近大夫、益大夫、榊大夫、駒大夫、糸大夫、勇喜大夫、良大夫、留大夫、吉大夫、村大夫都合七十二人無事着外に八人死候筋左に
旧正月元日
二二日　雨天　東風吹　今九ツ〔正午〕過三輪崎より鵜殿舟に便舟もらい候て帰り
差水主万喜大夫、一大夫、水主の内弥惣平、竹助、光大夫右之三人都合五人
万喜大夫申出候には私共比左大夫舟に弐拾六〔八〕人乗組にて伊豆七島の内神都〔津〕島近く相成候処にて舟かへし私共五人幷《ならびに》角大夫、沢大夫、升〔増〕次郎都合八人上り（上りは陸に泳ぎ着きし事）他は水死致候との事申出候角大夫、沢大夫、升〔増〕次郎の三人は神都〔津〕島へ残り私共五人は右の注進に参り候同所より伊豆下田へ迄参り同所より鵜殿村之舟に便舟致帰り候との事申出候
水主之者死左に有之、平作、良平、三助、市兵衛、松蔵、太郎、浅平、常松、千

松、芳松、弁大夫、徳右衛門、倉平、谷大夫、同子、佐五郎子、芳兵衛、寅吉、
菊兵衛、兵右衛門
旧二月二十六日
三月十八日　神都〔津〕島に残り有之候角大夫、沢大夫、升〔増〕次郎、右三人無
事着有之候

以上はただその当時の大要のみの記事であるが実に非常なる大問題で、一つ漁村として一時に百有余の生霊を失ったことで父子ともに逝った者もあれば兄弟ともに逝ったものもある。ほとんど一家の柱石として働いておった者ばかりである。遺されたる老人達や婦女子の嘆き悲しみの有様はとても紙筆のよく尽し能《あた》うべきではない。私は五歳の時であったが薄々に記憶しているのは、宅の門前を幾日となく妻女らしき人々が大声を張りあげて泣き叫びつつ右往左往されたことである。

明治十一年と申さば熊野地方としては電信電話は無論のこと、海陸ともに交通の機関として一つも出来ておらない時代であるから救助の法を取ることが出来なんだのである。今日から考えれば実に気の毒なことである。この時の新宮警察署長は今の政友会の大御所である岡崎邦輔《おかざきくにすけ》先生であって、先生も非常に心配せられて早々県令と申合せをされて政府に向って軍艦の派遣を要求せられたそうであるが、これも今日の如く電信電話でやるということではなく、飛脚便で相当日数を要することであって、ついに間に合わなかったことと思う。岡崎先生は当時この事業の再興についても非常に心配せられたとのことである。

漂流者の内にて九死に一生を得た羽刺沢大夫《はざしさわたゆう》、これは金右衛門譜代《きんえもんふだい》の羽刺《はざし》であるが、この翁より漂流中の話を時々聞かされたことであるが、この鯨を捕るか捕らないかということは沖合《おきあい》でも相当の問題であったらしい。しかし山見《やまみ》の方より命令がある以上勿論その命令に従わねばならず、作業にかかり燈明岬の前に網を張りたる所、鯨は網に当って戻り、そのまま沖の方へ逃げ去ったのであったならば問題は起らなかったのであるが、反対に湾内の方へ来たためにさらに網を張り替えたる所これに掛ったのである。掛ったと申してもわずか二、三反の網を鼻の先に引掛けたくらいのものであるから鯨の自由を拘束するには足らない。

ことに鯨は未だかつて見ざる大背美鯨の子持ちと来ているので物凄い勢いでなかなか耐《こた》えない。子鯨が近づいて来るとこれを庇《かば》う。その情愛の怖ろしさ、とても舟など近寄せることも出来ぬ有様である。鯨は段々東南の沖合へ沖合へと逃げて行く。舟も次第にこれを追って行く。その内、天候は追々険悪となり、日もまったく落ちて夜に入ってしまったが、ぜひこれを捕えねばならぬという意気に燃えきって、風浪と戦いつつ夜を徹して働き、二十五日午前十時頃鯨を仕留め、持双に掛け曳航《えいこう》にかかったが、夜来の疲労と米水《こめみず》の料に欠乏し、加之《しかのみならず》非常なる巨鯨のため、思うように曳航し得ず。むしろ潮流に引かされ反対に流れる状態となって来た。

そのうちに黒潮の急流の内に巻き込まれたので、如何ともすることが出来ず、互に舟と舟とに綱を渡し合ってこの流れを共に乗り切ろうと努めたが、思うに委せず、その日も方《まさ》に暮れなんとして来た。加うるに西北風吹き来りしため、折角仕留めた鯨であるが、これを曳いておっては各舟全滅の恐れがあるので、幹部協議の上、涙を呑んで綱を叩き切ってこれを捨てたのである。このように各舟綱をもって連結を堅くし、運を天に任すことにしたが西北の風はいよいよ荒く吹き荒み、高浪舷を洗って浸水甚だしく、連結のため反《かえ》って舟と舟との激突を来し、危険となったため各舟自由の行動をとることとして綱を解いたが、自由の行動どころでない。

たちまち強風怒濤に払われ、父子兄弟同舟の者もあったが、乗り代ることも出来得ず、互に別れ別れとなって相呼応しつつ、波間に没し去る者も少なくなかった。このときの惨状は想うたびごとに戦慄せずにはおられぬ。まったく地獄というはいまこの時であるかと思ったとのことである。前日来一粒の飯、一滴の水だに口にせず、時は師走の二日〔旧暦〕の夜である。熊野灘の真中に職務とは申せ風浪と戦う一つ漁舟の出来事と思えば聞くさえ涙なきを得ないことである。翌二十六日は大西風でこの風のためにほとんど散り散りばらばらとなり、全滅したのである。その内には漂《ただよ》い漂う中、九死の中に一生を他の舟や運送舟に救助されたものもあり、または伊豆七島に漂流《なが》れ着いたものもある。この沢大夫《さわたゆう》の如きは神津島《こうづしま》に漂着した者であるが、二十九日すなわち六日目に遥か西方と思き方に雲煙の中に山のようなものを見て、船中の者大いに喜び、その方向に舵を転じた。これすなわち富士山なのであった。

しかるに天運儘《まま》ならずまた逆風に吹かれてついに見えなくなった。このときの悲嘆の有様は例えるものもない状態で、持双舟《もっそうぶね》に二十八人という多数が乗込んでいるのであるが、そのうちすでに飢と寒さのために死せるもの四人、その他まさに死に瀕するもののみで、再び舵を手にする勇気のあるものがないくらいにて、まったく運を天に任すほかなく、ただ日頃信仰する神仏に祈願するのみであった。

しかるに翌三十日に到りて再び富士山を見たのでさらに舵をその方向に向け、進行中たちまち右方遥かに一小島が見え、船中これがために大いに元気付き、倒れているものも頭をあげて喜んだ。ところがいずれに舟を向けるかという点について意見が二様になった。一人のいうには富士山の見える方に行けば確かではあるが距離が遠いから近くに見える島の方に行く方がよかろうという。他の一人の説は島は近いがもし無人島であったら如何ともなし難いから、むしろ遠くとも陸の方に行こうではないかというのである。しかし多くの意見は仮に無人島でも致し方ない、同じ死ぬにしても一滴の水なりとも早く口にしたいから人家の有無は天に委して近い方に行こうというので舵を島の方向に転じて進んだ。

同日午後七時ごろ同島四、五丁〔数百メートル〕沖に達した時、たちまち山の如き怒濤が襲って来て、あわやという間もなく舟は転覆し、乗込の者は離散致してしまったが、舟腹にすがりつき得た者はここかしこに漂いおる内、再度怒濤の襲来をうけ、舟とともに幸いにして浜に打ち揚げられたが、この時は気の毒にも乗込二十八人の内八人よりしかなかった。この八人の者もほとんど気絶しておったが、若者の一人が陸上に灯火のあるを発見し、これを一同の者に伝えておいて、舟からその灯火のあるところに這い上り、事の次第を告げて援を請うたのである。すると早速近所隣に急を知らせて村中総出となって救助に努めてくれた。ある被害者の如きは浜に打揚げられた時に砂に巻き込まれて埋っていたそうであるが、これを掘り出し、各被害者を皆背に負うて各々家に連れ帰り、ほとんど死んだ状態になっている者を寝所に移し相当に肥満せる婦人が両方に臥して体温をもって温めてくれる（非常に衰弱して凍《こごえ》ている者を火をもって暖めると死んでしまうということを後で聞かされたそうである）。

その結果、だんだん意識が快復して来た。来るに従って飢渇の感が一層甚だしくなって来たので、口を指にて叩いて食を求めたがすぐに食べさせてくれず、しばらくしてから飲ましてくれたものは赤土をよく煮出してその汁を少しずつ飲ませてくれる。なるべく早く粥を欲しいと思って頼むと、それはいけない、米を早く食べさすとやはり殺す心配があると聞かされ、この土の湯を数回飲まされてから、粥の汁だけ飲まされたそうである。その時の粥の味は直ぐ身に沁みつくようななんとも形容の出来ない感じがして腹に一杯食べさして欲しかったが、これもなかなか一度に少しずつより与えてくれない。そのようにして慎重に慎重を加えて肉親も及ばぬ懇《ねんご》ろなる看護を受けて八人の者は数日の内に室内の運動ぐらい出来得るようになり、それより次第次第に快復することが出来たのである。

沢大夫《さわたゆう》、角大夫《かくたゆう》、増次郎《ますじろう》の三人は当分島に残り、五人の若者だけは鵜殿村《うどのむら》の舟に便舟致して帰ったことは金右衛門《きんえもん》の日誌にある通りである。

なおその後の捕鯨の変遷もお話し申上げたいのであるが、あまり長くなりますのでこれをもって今回の講話を終ることに致します。

追　記

羽刺が刺水夫を教育する一例の話

前に申しました通り羽刺《はざし》は銛さえ上手に突けば誰でも出来るかというとそうは参らぬ。これは一つの家柄となっており、その家に生まれてその家を相続する者で、しかして刺水夫《さしかこ》としての教育を受けた者でなければならぬ。その教育と申しても文字のない漁夫の教育であるから一つ一つ実地と精神の教育である。その一例をお話しして見ることにする。

沢大夫《さわたゆう》の倅《せがれ》に八十市《やそいち》という者があった。これは後に君大夫《きみたゆう》という羽刺で相当胆玉の据った者であった。沢大夫が自分の倅を自分で教育せずに沖合《おきあい》（沖合の総指揮者を沖合という）の富大夫《とみたゆう》に教育を托したのであった。

ある時座頭鯨《ざとうくじら》を捕り、鼻切をするという時に、八十市がまだ十六歳の時で刺水夫にもなっておらない時であったが、何とかして今度は刺水夫の仲間に入り込んで一番鼻を切って見たいという観念が湧きおこって来て押え切れない。師匠の富大夫に許可なくして行くわけにも行かず、願ったとて刺水夫にもなってない者であるから許されるはずもない。しかたがないから無許可でやって、後で如何ように詰責されてもよいわいと糞度胸を据えて窃《ひそか》に庖丁を懐にし、時機の来るのを窺っていた。

その様子を父沢大夫が次の舟から見ておって、左様なことをさせては富大夫に申訳がないからという考えから、自分の舟に呼び戻そうとして、わが子に向って「親方に許しを受けて今日はこの舟に来い」と呼び掛けた。富大夫は八十市のさきからの挙動に注意しており、また沢大夫の心中もよく察しておった。そうして八十市に命じて

「あの舟に行くことはならぬ」といった。その時、沢大夫は再び「早く来い」と呼びかけた。富大夫は「父が何といって来ても行ってはならぬぞ、貴様は今日の魚の鼻を切りたいのであろう、年は行かぬが度胸のよい奴だ、乃公《おれ》が切らしてやる」というなり舟を鯨の近くに進め、さらに一本の銛を突《う》ってその綱を自分の舟に堅く結び付け注意して曰く「執当が鼻だとの命令があればすぐ飛込んでこの銛の綱を手繰って行け。他の刺水夫は泳いで行くから泳ぐより綱を手繰る方が早い、その代りに必ず鼻を切って来ねば承知ならぬぞ」と申付けた。その時の八十市の心中はすでに死を決して「宜しい必ず切って来ます」と答えた。彼は魚に刃《やいば》を刺すの時機が早かろうが必ず切る、もし時機が早くてそのために鯨に禍《わざわい》さるるともあえて怖れぬという信念をかたくしたのであった。

その時の執当は父の沢大夫であった。八十市の決意の色を視た沢大夫も「死んでもよいからこの名誉の仕事を必ずなし遂げよ。まだ十六歳の少年にしてこの大任を果したものはかつてないのであるから」という。その真意も八十市には以心伝心的によく解っていたのである。

鯨は次第次第に衰え、執当の呼吸と鯨の呼吸が相迫って来た。その時に「鼻だ」と沢大夫は一声高く叫んだ。数名の刺水夫はわれ一番にと庖丁を口にして水煙高く飛込んで鯨に向って泳ぎかけた。その時富大夫は「八十市、そら今だ」と目で知らせて自分でその綱を堅く引き締めた。八十市はその綱を手にして手繰り手繰り一生懸命に水中を潜り、まるで水雷の如き勢いで突進した。八十市の鯨に一声高く名乗を揚げた時は、他の刺水夫連中は鯨に遠ざかること遥かであった。八十市はすかさず自分の体を鯨に添わせ、鯨の渦をまいて海水深く沈み行くとともに沈んで行った。しばらくすると庖丁を横に啣《くわ》え莞爾《かんじ》として浮び出て富大夫の方に向って高く手を挙げた。富大夫は両手を挙げて「ヨシタヨシタ」と高く叫んだ。衆これに和して「ヨシタヨシタ」の声が連発された。その時沢大夫の目には感激の涙がおさえ切れなかったということである。

太地にて初めて洋式にて鯨を捕りたる事を話して置く

太地において初めて洋式にて鯨を捕りたることは明治三十五年（一九〇二）十二月二十八日と記憶する。当時の業主は新宮の実業家連中を主体に致した株式会社で熊野捕鯨株式会社の経営であったが、この前に長州出身の人で平松与一郎《ひらまつよいちろう》という方が二、三年間経営されておって、その当時米国式のボンブランスという破裂銛《はれつもり》を使用したことがあった。平松氏の計画は和洋折衷の漁法でやらせたが、漁夫が馴れておらないために業績頗る不振にて失敗に終わり、そのあとを熊野捕鯨会社が一切を引受けてボンブランス銛も譲り受けたのであった。

〔明治〕三十五年十二月二十八日の天候は西風静かに吹いて熊野海は凪《なぎ》日和であった。一頭の長須鯨は悠々潮を吹いて陸地に近づいて来た。さきにも申した通り長須鯨は旧式捕鯨法では捕り得ぬものとして逃がすのであるが、ここにボンブランス銛の偉力を試して見たいと思っておった一人の羽刺《はざし》があった。それは十六歳の時に鯨の鼻を切って功名手柄をなした八十《やそ》市事君大夫《いちことときみたゆう》という剛情我慢の男であった。その当時の様子を君大夫より聞くに、当日は一点の悪雲も認めず、海面は鏡の如き凪であり少々無理をやっても決して心配のない日和であったために、多年試したく思っておった銛を使って見るに申分のなき日と思い、舟を鯨に進めて出浮くを待ち、ここぞと思う時に打込んだところ、見事命中して破裂はしたが急所をはずれたためになかなか往生せず、かえって猛烈なる勢いでもって進行するので、あるだけの綱を銛の尻手に取り舟に括りつけ、舟を引かしていたが勢いはさらに衰えず、舟はまさに海中に引込まれんばかりにて、俄《にわか》に起った波は両舷よりも高く頗る危険に瀕して来た。

この時水夫《かこ》三太という者大庖丁を振りあげ君大夫の締付けた綱を打ち切ろうとして

曰く「貴様は命を知らぬ者なり、皆の者の命が大事か、鯨が大事か考えて見ろ」とその時君大夫一喝して「汝何をなす、鯨は今すでに往生に近づいておるではないか、仮にこの舟が海中に引込まれてしまっても、この舟に乗り込める者は泳げない者は一人もないはずなり、そのうちには後舟続々と来るのであるから汝共の生命は己一人にて引受たり」というなりその庖丁を奪い取り、一同の者に向って「今しばらく我慢してくれ、お互いの力によってこの鯨を為止《しと》め得ば、鯨方始まって以来の新記録を作る所以である」と説き、さらに綱を引き締め次の出浮を待って二の銛を突きたるに、今度は完全に急所に入り破裂したるため、鯨も進行弛《ゆる》くなり、その内後舟次第に漕ぎ寄せ来り、近大夫《ちかたゆう》が次の銛を入れ、ついに為止め得たのであった。君大夫笑って曰く「その時会社より鯨という文字を紋所としたる羽織を褒美の品として戴きましたが、宅では三日三晩祝いつめ、飲みつめて貧棒《びんぼう》の底を叩《たた》きました」と実にこの事柄は太地捕鯨誌には特筆しておくべき事柄と存じます。

きおいの式（きおいハ勇マシイ威勢ノ事ナランカ）

鯨を捕って来ると本方《もとかた》（事務所）において角右衛門《かくえもん》を上座に致し、和田一類を始め係りの役人、羽刺《はざし》、そのほか主役の者多数集り、鯨料理にて盛んなる酒宴を開くのである。その時に用いる盃は、大漁という盃が一升入、背美《せみ》というのが七合五勺《しゃく》、座頭《ざとう》が五合、児鯨《こくじら》二合五勺入りで、盃に鯨の名を付けてある。これをずんずん回して飲むのであるから文字通りの鯨飲《げいいん》である（この盃は私の所に保存してあるが朱塗で背美の盃は背美。座頭盃は座頭。児鯨盃は児鯨の泳いでいる図で鯨は黒、波は金の高蒔絵《たかまきえ》で頗る古雅なものである）。

宴半《なかば》に到る頃踊りが始まる。この踊を綾踊《あやおどり》という。これに和するの唄をきおいの謡という。節は長唄と謡曲とをつき交ぜたようなものである。綾踊は長さ一尺五寸〔約四五センチメートル〕ぐらい直径一寸二、三分〔約三・六〜三・九センチメートル〕ぐらいの竹の中に小石を入れてがらがらと鳴るようにして、それをさらに布張りに致し、その上に白と赤の綾に塗り分けたる棒をもって刺水夫《さしかこ》七、八人が坐したるままで上半身を動かし、肩脱ぎになり、平袖の色々意匠を凝らした縫合せの綺麗な襦袢を衣《き》て踊る。唄は大概勢子《せこ》羽刺《はざし》で、太鼓は持双羽刺《もっそうはざし》と定っていたようである。

この式は出初の時、および正月二日出初式の時にも必ず致すのである。正月二日の時の如きは持双舟を組み合わせ、その上にて港内において舟を漕ぎつつやるのである。踊りは座ったまま踊るという頗る風変りのものである。左にその唄の二、三を紹介することに致す。

綾踊唄（きぬた踊ともいう）

明日は吉日《きちじつ》砧打《きぬたうち》　明日は吉日砧打　おかた姫子も出て見やれ　きぬた踊は面白や
猶もきぬたは面白や
背美が孕んで産めばこそ　背美が孕んで産めばこそ　沖にお背美がたえやらん
きぬた踊は面白や　猶もきぬたは面白や
お背美子持を突き置いて　背美の子持を突置いて　春は参ろぞ伊勢様へ　きぬた
踊は面白や　猶もきぬたは面白や
竹になりたやお山の竹に　旦那栄えるしるし竹　栄える旦那　旦那栄えるしるし
竹

鯨潮を吹く吹かぬの説に就いて実例を説明して置く

近頃ある学説に鯨が潮を吹くというのはそれは間違いで、決して鼻から海水を吹き出すものでなく、あれは鯨の息が空中の冷気にふれ、霧のようになって顕われて視えるのであるということである。

しかし実際を見るとやはり海水を吹き上げるので、船端近く鯨の浮び出たる場合は、その吹き上げる水煙のために乗込の漁夫は頭から濡鼠《ぬれねずみ》のようになることがある。また鯨を網に巻き揚げた場合、いままで泳いで盛んに潮を吹いておったものが、網に巻かれて水を離れるとただスウスウ息をする音だけ聞こえて、一滴の水煙だに見ることが出来ぬ。これを再び海水に放つとすぐ水煙を吹き上げる。この点から考えればやはり鯨は潮を吹くものであるということは判明する。

ただ前説の如きものだけであるならば二里も三里も遠方に浮び出る鯨を、あれは背《せ》美鯨《みくじら》である、座頭鯨《ざとうくじら》であると判別を付け得ることは出来ぬ。背美鯨の潮を吹くのは細く高く昇り、上で広く捌《さば》けて落ちて来る。座頭鯨のは背美鯨のように勢いよく高くは昇らず、下の方より太く捌けて吹き上げる。鯨々によって各々その特長があるものである。

熊野太地浦捕鯨の談

昭和二十九年（一九五四）七月十八日　東京都台東区上野公園

国立科学博物館　滝庸《いさお》博士のごあいさつ

丁度明日から国際捕鯨会議が東京で行われる事になっておりまして、これを記念いたしまして、本会議におきましても本日講演と映画の会を催すことになり、本日は太《たい》地《じ》〔五郎作〕さんに和歌山から御来場を願いまして、「昔の鯨の捕り方」についてお話を願うことになりました。

地図を見ますと、和歌山県の東南の方に太地《たいじ》という町がございます。実は昔から鯨を捕る本拠地であったのでありますが、太地さんは太地という町にお生れになりまして、古来鯨捕りの家であったのであります。本年八十一歳になられましたが、本日此所にお出でを願いまして、昔の鯨捕りの日本のやり方、それをお話し願う訳であります。

皆さん、このような御高齢の方で昔のいろいろの事を詳しく知っておられる方は、太地さん以外にちょっと見当らないのでありまして、本日のお話は又と得難いお話であろうと思われるのでありますが、このような国宝的な存在の方にお話を願うという事は、われわれにとりましても非常に喜ばしい事でありましてよくお話を聞いて頂きたいと思います。

昔の鯨の捕り方

私は今、滝先生からご紹介をいただきました太地であります。これと申す話もできませんが何かのご参考にもなればと思いまして、暫くこの席を汚さしていただきます。どうぞよろしく……（拍手）。

鯨のことにつきましては色々申し上げたい事がございますけれども、時間の関係もありまするし、余り長い時間を拝借するという事もいかがと存じますので、大体ここは必要であろうと思う点を選択いたしまして、お話しを申し上げる事にいたします。

まず鯨の種類でありますが、鯨はどういう種類に分れているかと申しますと、背美《せみ》鯨《くじら》というのがあります。この鯨は鯨の内で王者ともいうべき非常に強い、また価格の点についても昔は、一番高価の鯨でありました。それから長須鯨《ながすくじら》、これは近来南極方面で多く捕りますが、昔はあまり大きい為に、当時の技術では捕れなかったのでありますます。今日では捕鯨技術が非常に進歩して参りましたために、訳なく捕獲する事ができます。

つぎは座頭鯨《ざとうくじら》、これは以前は相当沢山ありまして、熊野沖ではこれを目標にして捕鯨事業が成立っておったような次第でありましたけれども、これも最近では殆ど捕り尽しまして、熊野灘には一頭も見えないような状態であります。つぎは児鯨《こくじら》、これは鯨の子供という意味ではなく、特に一つの種類であります。それから鰯鯨《いわしくじら》。形は座頭鯨によく似て小さい鯨です。つぎに巨頭鯨《ごんどうくじら》、イルカ鯨等で種類は相当多くに分かれています。

それから今日問題になっている事について、私は判然説明を申し上げておきますことがあります。それは鯨が潮を吹くものであるか、吹かないものであるかの事であります。最近の一説では、鯨は潮を吹くものではない、あれは鯨の呼吸息が外気の温度との差によって白く見えて、潮を吹くがごとく見えるのであるという事で、それへ相当の学者連までその説を信じて、新聞などでよく見るのでありますが、それは全然間違いで、鯨は確かに潮を吹くものであります。潮を吹くから何哩《り》も遠い沖にいる鯨が、その潮の吹きようによって、その種類が分るのであります。またその鯨に接近する漁夫が時々頭から海水を吹き掛けられて、濡鼠《ぬれねずみ》のようになることもしばしばあります。潮を吹かないのだという説は、ここではっきり打消しておきます。

捕鯨の起源

捕鯨の起源でありますが、鯨を捕り始めたのはいつの時代であるか、またその方法はどのようなものであったかという話になりますが、これは私の考えでありますけれども、相当古くから行われておったように思うのであります。しかし背美鯨とか長須鯨とか座頭鯨というような大物ではなく、巨頭鯨、鰯鯨、イルカ鯨のような小物は、大した仕掛を要しないで捕れる。ことに昔は鯨類が非常に多かったため、太地の湾内にも巨頭鯨の大群が入り来り、湾口を網を以て封鎖し一時に数十頭を捕獲したことも時々ありました。ですから遠き昔では、黒潮の暖流に沿うたところでは常に棲息しておったことと思うのであります。

神武天皇の御製の内にも、いさな〔勇名。鯨のこと〕の事を詠まれてあります〔宇《う》陀《だ》の
高城《たかき》に　鴫罠《しぎわな》張る　我が待つや　鴫は障《さや》らず　いすくはし　鯨障《さや》る　前妻《こなみ》が　菜乞はさば　立《たち》そば
の　実の無けくを　こきしひゑね　後妻《うわなり》が　菜乞はさば　いちさかき　実の多《おお》けくを　こきだひゑ
ね　ええ　しやごしや　こはいのごふぞ　ああ　しやごしや　こはあざわらふぞ〕。

ご承知のごとく、天皇は大和《やまと》にご進入の時、初めは大和川を溯って進まれました

が、それが行われず、さらに紀《き》の川《かわ》を上って行かんとしたがこれも行かれず、そうすると大和にまで通ずる河川としては、熊野川《くまのがわ》の外ないのであります。それで紀州を大迂回されて、熊野川を溯って行かれたのであります。その熊野川にお進みになりますのには、現在の大阪湾より熊野灘を経由して溯って進まれるのであるが、その間の海上において時々沢山の鯨を見られたことと思います。それであの御製がお出来になったものと思うのであります。

その当時でもすでに鯨は捕っていたことが想像される訳であります。ことに熊野方面は平地が頗る少なく、ほとんど山岳重畳《ちょうじょう》として聳《そび》え耕地の最も少ない所でありますから、自然に米穀類は乏しく、これが補給には海産物をもって補う外ないのであります。

捕鯨の方法に致しましても今から考えれば頗る幼稚なもので、だんだんと幾多の改良を致したであろうが、無論充分の組織立ったものではなかったのであります。組織立った方法の出来たのは慶長年間でありまして、それに改良を加えて米国式又は「ノールウエー」式が入ってくるまでは、それによってやって来たのであります。この方法と申すのは、私の祖先であります和田《わだ》忠兵衛《ちゆうべえ》頼元《よりもと》で、頼元は和田《わだ》義盛《よしもり》の末裔であります。この人がその当時まで今日で申す役所勤めを致しておったのでありますが、官を辞してしかして泉州（大阪府の）堺にこれも役を勤めておった伊右衛門《いえもん》という人と申合せをして、尾張の国の師崎《もろざき》に伝次《でんじ》という銛突きの上手な人がありました。それを太地に連れて来て、初めて銛を以て鯨を突き捕る事を考案しました。これが成績非常によろしく、しばらくはこの銛突法によってやっていたのでありますが、突き捕りでは大きい鯨は捕れません。遺憾ながら大きな鯨は皆逃していたのであります。

忠兵衛頼元の孫に惣右衛門頼治《そうえもんよりはる》という人がありました。この人は才気煥発の士であったとの事であります。これが鯨に網を掛けて捕る方法を研究したのでありますが、これが非常に成績良くついに成功を致して、従来の突捕法に革命を及ぼした次第であります。これと同時期に九州においても網捕り法が出来たとのことであります。爾来この網捕り法にも改良に改良を加えて、明治末期のノールウエー式に移るまでこの式によって来たのであります。今日は少し詳しくご参考までお話を致したいと思います。

捕鯨事業の組織と致しましては、本方《もとかた》と申す所があります。これは事業の総計画を樹《た》て、指揮命令を発し、又は上司に対しての交渉等諸般の事務を司る所でありまして、各部の主任役員が常に勤務して、事業の上に支障なきよう手配をいたしておりました。

藩政時代には紀州藩が非常に力を入れられまして、この事業を助けてくれました。それはこの事業は沢山の人員を使役しなければなりません。幾百人という漁夫を使役し、その他大工、鍛冶、雑役等多数の人夫を要しますから、庶民救済の事業といたしましても、また万一戦争でも起るとすれば、たちまち水軍の用に役立つということになります。それで藩としては、捕鯨事業について非常に力を入れられたのでありま す。それでありますから、もし捕鯨が少なく収支のつきにくい時には藩から救助資金がお下げ渡しになり、それでやっていたことも時々あったようであります。

大納屋《おおなや》という仕事場があります。ここの仕事は捕鯨に関する諸々の道具を作り、また修理をする所であります。漁舟を作る、銛を作る、網を拵《こしら》える、その他全般の必要品を作りあるいは修理する所で、これには沢山の専門の職人を働かしております。

山見方《やまみかた》というのがあります。この山見方は、捕鯨の仕事の内でも最も大切な任務をもっている所であります。鯨を捕る大切な見張場を山見と申すのは、いかにも不合理な名称のように思われますが、鯨が遠く海洋に潮を吹き揚げた時にその位置を知らすには、遠くに見ゆる山岳と睨《にら》み、その山岳には所々必要と思う所に特殊の名称をつけてある。鯨の潮を吹き揚げた時にその山の名称をいうて、たとえば赤色（地名）の東に見えたとか、三木崎の前に見えたとか、初め鯨の出浮を見た者から皆に知らす、左様な所から山見という称呼が出来たものと私は思っている。

その山見方は、太地湾口に突出した燈明崎《とうみようざき》（岬）という岬があります。その岬の南に梶取崎《かじとりざき》（岬）という岬があります。この両方に山見方がある。鯨はこの沖で捕るのでありますけれども、舟の行動はすべて山見方の指揮によらなければ、舟は妄《みだ》りに行動することは出来ない。それでこの山見方の主任になる人は、よほど経験の深い信頼の厚い人を要する。山見方の人員も十人以上を要し、絶えず望遠鏡をもって遠く沖合を見張っている。

鯨が見えると早くその位置、方向を舟に知らさなければならん。舟は鯨のくる方向の沖合に配列して、これも見張を兼ねている（図面を掛けて説明）。少しわかり兼ねますが、これが捕鯨沖合の大体の見取図でありますが、この所が燈明崎であります。こちらが梶取崎、この両方に山見方がいるのです。舟はこういうふうに配列されて、鯨を見張っています（図面について説明）。しかして山見の方では望遠鏡をもって鯨を沖合に見つけたら、待機している舟にその鯨の位置を知らさなければなりません。山見方と舟との距離も相当に遠く離れており、だいたい二海里またはそれ以上三海里もあります。それでこれを知らせるにはいかにして知らせるかと申すと、山見方の方で狼烟《のろし》を焚く所が三ヵ所ありまして、その一の狼烟に煙の立った時は鯨はどの方向に二の狼烟の煙の立った時はどこというように、それぞれ申合せが出来ているために待機している舟はその方向に進んで行く。しかして鯨より沖に定められている順序に従い配列を作って、鯨を沖に逸さぬようにして、静かに舟の貫木《かんぬき》を槌をもってトントン叩くと、鯨はだんだん地方《じかた》の方へ寄ってきて網場に近よってくる。

山見方の方では鯨のくる方向と速度を考えて、網場の位置を協議してこれを決定し、網舟《あみぶね》をその位置まで動かさなければならない。そしてその位置にくると、しばらくその所に舟を停めて鯨の動向をよく考え、それでよろしいと見込を立てると、網を張る用意を命ずる。しかして適当と思った時に網を張らして鯨をその内に追入れて包囲するのである。山見方と舟との距離は相当遠いためにことごとく法螺《ほら》〔貝〕を吹き、大きな采配を振って信号によって行うのである。

鯨が網に掛ると、山見方では勢子舟《せこぶね》に向って盛んに進め進めの信号を送る。舟は競って鯨に迫り、われ一の銛を入れんと争うのである。その光景は実に勇壮で、昔の舟合戦の絵巻でも見るの感が致し、壮観実に極りがなかった。初めは細い銛を突くのであるが、だんだんと太いものを入れる。その内に鯨も次第に衰《よわ》ってきます。最後には大剣を肋骨に打込みます。今向うの陳列に出品してある剣は小剣の方でありますが、大剣は二貫〔七・五キログラム〕以上あります。それを肺に向って打込み、抜いては打込み幾回となく繰返す。そのうち鯨は次第に衰えてくる。死んでしまえば沈んでしまうから、沈まさないような方法をしなければなりません。それは鯨の左右の鼻を切り通してこれに綱を通して、沈まさぬようにしなければなりません。この技術は早ければ危険があり、遅ければ鯨を沈没させる心配がある。この責任は勢子殺舟《ころしぶね》主任の羽刺《はざし》（船長）の任務であって、すべてこの命令によって動作せねばならぬ。鼻を切り通しに行くのは数名の刺水夫《さしかこ》が指名されて、これ等は各自庖丁を懐ろにして指揮の出るのを待っている。その時刻を計るのは鯨の大小強弱によって相違はあるが、だいたい鯨が一回潮を吹きに出る間に自分の呼吸を何回するかということをよく計って、鯨によって一律には行かないが、鯨が一回するうちに自分が六回もしくは五回というようにその調子を考えて、今度鯨が出たら（潮を吹きに出ること）鼻だと自分の鼻を指差して大声で呼ぶ。鯨が浮ばんとしてくると水面に小波《さざなみ》が起ってくる。

指名されている刺水夫は衣を脱ぎ捨て庖丁を口に横銜《くわえ》にして海中に飛び入り漣《さざなみ》の方向に競泳し、鯨が浮ぶとそれに先手をかけた者が勝を制するので、その他は引き揚げるのである。勝を制した者は鯨に巻いてある網をしっかと持ち、鯨と共に沈んで行き、庖丁でちょっと鼻を突刺してみる。庖丁にちょっとぴりぴりと感ずると時がまだ早いから引揚げてくるが、何等の感じがないと鼻を左右に切り通し、それに携えている綱を通してワサ〔輪差〕にかけて自分は素早く浮び出てきて高く手を挙げる。各舟からは「ようした、ようした」と非常に喝采される。

つぎには太い綱を持って、前の綱に添えて鯨を吊上げる仕事をしなければなりません。それは持双舟《もっそうぶね》二艘の間に鯨を挟んで、持双棒という太い長い棒を舟と舟とに差し渡し、太い綱をもって鯨の胴体をその棒に吊り上げ鯨を浮かして、それから最後の為《し》止《とめ》の剣を鯨の肺部に打ち込む。この時の鯨の暴れようは実に物凄いもので、形容の言葉もない位で大きな声をあげて啼きます。その声はあたかも馬の嘶《いなな》きに似て、太いものであります。

しかし相当弱っているので長い時間ではありませんが、二艘の舟もまさに海中へ引込んで行くほどの勢いを見せますが、終末の一時の暴れで間もなく大往生をしてしまいます。その持双を組んだ舟を沢山の勢子舟が先漕ぎをして、各舟旗を立て凱歌を揚げて港に帰る。海岸には一定の解剖の場所があって、そこで解剖を致すのであります。

熊野捕鯨の終末の原因

熊野捕鯨の終末を告げた原因は、明治十一年〔一八七八〕十二月二十四日。この日は天気の模様は非常に悪かったところへ大きな背美鯨《せみくじら》が子供を連れてきた。天候は非常に良くないのと、時間も日没に近いために種々相談の結果、山見方《やまみかた》の指揮主任をしていた私の父和田金右衛門は、天候の模様はよろしくないのと児を連れた背美鯨であるから、残念ではあるが逃がす事に致せと命じた。

その時、あたかも捕鯨組の宰領をしている太地角右衛門がきたので父は事情を説明して、危険が多いように思うから遺憾ながら逸すことにしたと申すと、角右衛門はそれはいかぬ、今年は非常な不漁であり、この越年をいかにするかと非常に苦心をしている時である。この鯨こそは天の与えでぜひ捕らなければならぬと主張し、双方互に自説を譲らず、父はついに席を立って控家に移りておったが、鯨はだんだん網場に接近してきて、父がおらないと指揮が出来ぬものであるから再三迎えにきて、父もやむなく行って指揮をとることにした。

鯨は網にかかりはしたが、かつて見ないほどの大鯨であるため、普通の網をかけた位ではその自由を拘束することが出来ず、ことに子供を守るの念が強く、銛も相当入れたが、鯨が大きく自然皮も厚いために銛は肉に達し難くだんだんと沖へ沖へと逃げ、それを追って行く内に、黒潮の急流に巻き込まれてしまった。鯨はついに仕止めはしたが夜に入ってこれを処理することは出来ず、見切りをつけて早く逃げた舟は助かりはしたが、黒潮に巻きこまれた者は鯨を捨てて舟を陸に向って漕いで帰らんとしたが、強い西風と黒潮の急流に流され、あまつさえ食糧に欠乏して七、八十人の漁夫が亡くなったのである。中には伊豆七島の内に漂着して島人の懇《ねんごろ》なる看護を被って、九死に一生を得た者も若干ありました。

これが三百年来伝ってきた太地捕鯨の滅亡を来たした第一の原因であります。これが再興も初め申し上げましたように、藩政時代であれば救護の法もあったでしょうが、明治十一年のことであり藩というものもありませんので、自力更生より外に途はなく、その更生の力も乏しく、小資本でやりかけはしましたが成績は面白く行かず、ついに明治十一年十二月二十四日の日をもって命脈の切れた日となったのであります。

太地にて初めて洋式捕鯨の事

ここでもう一つ申上げておかなければなりませんのは、初めて洋式で鯨を捕ったことであります。今日のノールウエー式または米国式ではなく、米国の手投げの破裂銛であります。長州の平松与一郎と申す人が、太地で捕鯨をやったことがありました。これも失敗に終ったが、その後をうけて新宮の有志で引続きやったことがあります。その平松氏のやった時、洋式手投げ銛でボンブランスという破裂銛がありました。その銛を常に使ってみたいと思っておった羽刺《はざし》（船長）に勢子君大夫という人がありました。

明治三十五年（一九〇二）十二月二十八日、この日は海上非常に静かな凪の好天気であった。一頭の長須鯨が悠々と潮を吹いてやってきた。旧式捕鯨法では長須鯨は捕えないことにして逃がしておったのでありますが、君大夫このボンブランスの威力を試してみたく思って、適当と思う時を計って打込みましたところ、うまく命中しましたが一本で往生するはずもなく、鯨は非常に猛り出し、舟もまさに海中に引き込まれんとしていました。その時三太という一漁夫が大庖丁を提げて君大夫の側にやってきた。君大夫は、「三太きさまは何をする」と問えば、三太は「何をするとは何だ。舟はまさに海中に引込まれんとしておるではないか。その綱を叩き切るのだ」と庖丁を振りあげんとした時、君大夫は庖丁を奪い取り海中に投げ込み「この舟に乗っている者は皆泳げるはずだ。舟が引込まれたら泳いでおれ。後《あ》舟《ぶね》に助けて貰えばよい」といって更に綱を引締めている内に近大夫の舟が進んできて、第二のボンブランスを打込んだ。さすがの大鯨も二本のこの銛に大いに弱り、ついにこれを捕獲した。これが本邦における洋式での鯨を捕った初めと思う。だいたい申し上げることはこれ位にして、皆様の方からお尋ねがありますれば私で出来るだけのお答えを申上げたいと存じます。

問答

問 私の母が言った話なのですが、もし外の銛が打込んであった鯨を捕った場合には、それはその鯨はその方に優先権があるような話でしたがそれはどうなるのですか。

答 それはお話の通り優先権があるので、双方協議して適当なる処分方をつけたものです。私共若い時代には、熊野沖にも沢山の鯨が日に何頭となくきたもので、そのうちに網場に来たものだけが捕れて、その他は皆通過してしまったものですが、近頃は一頭の鯨も見ることは出来ません。このままで行けば遠からぬ内に、鯨の姿を見ることの出来ぬ様になるのもほど遠いことでないと思います。むろん各国申合せの捕獲制限法は出来ているが、その実行が果してどれだけの効果を現わしているか、私共疑問に思う点も少なくないのであります。当路関係の方々に充分のご注意をお願い申上げたいのであります。

問　洋式の銛と今まで使っておった昔の日本の銛とどう違いますか。

答　昔の銛は今日出品致していまする通りのもので、数多くを撃ち込まねばなりませんが、洋式の銛は小さい大砲が船首にあって、撃ち込めば中で爆発するような仕掛けになっているため、たいてい一発で斃《たお》すことが出来るのです。

問　それから沖にいる鯨をだんだん追ってくると申しましたが、網の中まで追い込んでこられますか。

答　いや、網の中まで追い込まなくとも、網代《あじろ》場がほぼきまっておりますから、その網代まで追ってきます。時としては網を入れた中までも追い込むこともありますが、それはその時の都合で臨機応変の処置を採るのです。

問　鯨は潮を吹くと申されましたが、息を吐くための水蒸気でなく潮を吹くと言われました。私共はあれは呼吸のために白く水蒸気が上るのだと聞かされましたが。

答　いやそれは誤りで、私ども常に見てわかっています。私の太地の湾内へゴンドウ鯨をよく追い込んできますが、多い時には数十頭の群を入れることもありました。それ等はことごとく潮を吹いています。時としてはその内の一頭を陸に引上げることもあります。すると息をするすうすうという声だけで何も見えません。それを海に入れると潮を吹いて泳いでいます。鯨は確かに潮を吹く海中動物であります。

問　さきほど太地さんが申された網で捕るのと、銛で突いて捕るのとの割合はどういうことになりますか。

答　網で捕る鯨は、座頭鯨は網を掛けないと捕り難いですが、背美鯨、児鯨、巨頭鯨、抹香鯨のごときは、網を用いなくとも捕れます。

問　捕った鯨の油はどうしましたか。

答　昔はランプまたは電灯がなく、石油をも使用しなかったから、多くは灯火用に使用され、熱田及び大阪方面にも多く出ました。それは灯火用以外に農家で稲に虫がつくと、田面《たづら》に油を流して笹の葉でもって虫を払い落して、殺虫用に多く使用されたと聞いています。

ほかにお尋ねの方はありませんか。はなはだお粗末な話を長時間ご静聴を煩わしましたことは、ありがたく感謝にたえません。それではこれにて失礼を致します。（拍手）

鯨肉の料理に就いて

太地鯨浦〔五郎作〕

最近鯨の肉を牛肉の代用なりと称して、其の料理法をいかにすればよいかと、むつかしいもののように座談会を開いたり、種々研究される向もあるが、鯨は昔からわれわれ日本人の立派なもので、いかようにして食べてもよろしいのである。むしろ牛肉よりは用途も広く、かつ簡単である。

わが国における捕鯨の発祥地とされている熊野太地《たいじ》町では、古くから明治初年〔一八六八〕の頃まで捕鯨を取扱うておった本方《もとかた》（今日の事務所）には、御用納屋という鯨肉を貯蔵（多く塩漬）する所があって、この納屋の内へは上席重役の指図がなければ誰も勝手に出入りできないことになっていた。さてこの御用納屋とはいかなる仕事をする所であるかというと、畏《かしこ》くも禁裏《きんり》を始め奉り、将軍家ならびに藩公に献上する鯨肉を取扱う所で、また何時ご用命があっても、これに応じることのできるように貯蔵して置くところである。かような状態から考えると、昔は高貴な御方々におかせられても、鯨肉をお召し遊ばされたことをうかがうことができる。

鯨肉を献上するにはいかなる方法で差し上げたかというと、多くは鎌倉漬として樽詰にしたもの、または塩漬として御納めしたのである。御用納屋には、直径四尺〔約一・二メートル〕に深さ五尺〔約一・五メートル〕位の大樽がなん個もすえてあって、その中へ上等の肉皮を塩蔵している。肉片の大きさは方《ほう》約一尺五、六寸〔約四五〜四八センチメートル〕位、皮も一尺五、六寸の角に切り、これを上等の塩で貯蔵して置くのである。鎌倉漬の上物を作るには、塩蔵してから三日位経過した肉をとりだして一尺五寸角位のものを周囲を切りさり、その中央六、七寸〔約一八〜二一センチメートル〕角位のところをさらに一寸五分位六、七寸 拍子木のような形に切り、皮もそのような形にして、肉七、皮三位の割合としてこれに醤油七、酒三、または八、二、位の割をもって漬けるのである（日数を永く保存するには塩蔵を永くし、酒の量を少なくする）。その容器は、一〆目《いっかんめ》〔三・七五キログラム〕または一〆五百目〔約五・六キログラム〕いり位の樽にいれて密閉して置く。こうして置けば相当の日数を保つことができる。五、六日経過した頃がほぼ適当な時期である。このように一尺五寸の肉から六、七寸位の肉を用いて作るということは、ぜいたくなことであって、御用納屋においても献上品以外には行わないことである。

普通、鎌倉漬を作るには、肉皮共に二日位塩漬として置き、これを前法により適当な器に漬けておけばよいのである。料理法は牛肉を切るのと同様にしてなるべく薄く切り、そのまま食してもよろしく、鋤焼《すきやき》としてもその他好みに応じて食すればよいのである。

背《せ》美鯨《みくじら》、座《ざ》頭《とう》鯨、鯢《こくじら》、鰹《かつお》鯨、長須《ながす》鯨（以上有鬚種）これらはいずれも美味であるが、そのうちでも背美鯨は一等好い。抹香鯨《まっこう》、巨頭鯨《ごんどう》（有歯種）はその味不美である。その肉の判別は素人にはつき難い。抹香鯨、巨頭鯨の肉を求めて、普通鯨の肉と心得て鯨の肉はまずいと批判される方も少なくないと思う。有歯種の肉は少し黒色を帯びて繊維の組織が荒いから、少し注意すれば判るのであるが、魚屋でもその判別がつかず、只うまくない鯨と思うているものが多いように思う。

鯨はあれだけ大きな物であるが、一点捨てるところはなく、全部食料として用いることができる。肉のうちでもっとも美味なところは、こぼね先と称して、左右肋骨の中間にある肉で、ロースのごときものである。これより下って陰部の附近（通称腰の身）が一等よろしいのである。

しかし、要は若くしてよく肥えていればどこの肉でも美味である。痩せたもの、特に老鯨ときてはかたくて不味であるが、これとても薄く切って白皮の脂肪のところと一つにして、酒醤油へ砂糖少量を加え、三、四時間漬けておいて鋤焼《すきやき》なり焼肉なり（焼肉の時は金網の上に半紙を敷き、その上にて焼けばよい）ビフテキ、フライ、その好むところの料理にして食すればよいのである。

皮（表皮黒く、内皮は白く脂肪に富む）、白皮は美味であるが、脂肪が多いのでそのまま食することはよろしくない。よく脂肪をぬいてから食べる。脂肪をぬくには適当に小切りにして、糠を入れて煮るとよい。しかし全部ぬき切るわけには行かぬ。味噌汁等にして用いるとよろしく、またなるべく薄く切り、水でよく洗い（この時は手に力を入れて、むしゃむしゃと握り潰すようにして水を幾度もかえて洗う）よく絞ってこれに熱湯を二、三回通してよく湯を切る、すると純白な綺麗なものになる。手羽《ぱ》、尾羽《おばき》、うね皮、皆同一法にて作る。これに甘酢、ねば味噌その他適宜な味附をなせば鯨料理としては珍重すべきものができる。

内臓も全部食用として珍味家を喜ばすことができる。鯨には陸上動物のごとく種々な黴菌《ばいきん》や、寄生虫が少ないということであるから安心ができる。腸、胃、肺、胆、心、腎、ことごとく食べられる。料理法としてはよく洗うて湯煮てから薄く刺身のように切り、味附をして用うればよいのである。二、三日塩蔵してから湯煮たものは、その塩加減にて別に味附せず、固有味を賞味することが、かえってよいと思う。睾丸のごときはホルモン量が非常に多く、効果顕著であるということである。舌は脂が適度にして牛肉のロース以上の味である。

抹香鯨の脳膜のごときものに、トコと称するものがあるが、これを細く切り、よく乾かすと膠《にかわ》色を呈した棒のようなものができる（干大根のような）。これを薬刀のごときもので薄く切り、数回熱湯を通してよく水で洗うと極めて淡白な形容のできがたいようなものができる。これは鯨でなければ他のものではできない貴重な食料品である。

骨の内に蕪骨《かぶらぼね》という軟骨があるが頭の周囲にあるものが軟かくてよい。骰子《さいころ》のように角に切って食べる。酒盗、雲丹《うに》、海鼠《なまこ》の塩辛などに漬けて置けば一層風味がともない、酒客の好むものと思う。この骨を鉋にて削り、水にて血と脂肪を脱《ぬ》き、さらにこれを簀《す》に附けて乾燥させたものを食料とする。これもすこぶる淡白なもので、百貨店の食品部にて時々見受けることがある。

その他喉輪《のどわ》と称して食道の一部に細い軟骨がある。また手羽の関節にもあるが、これらはいずれもかたい。しかし一種の風味がある。

鯨には牙のあるものと、鯨鬚《エンバ》のあるものとの二種類になっているが、エンバの根元肉に包まれている所に縞エンバと称する白と黒との縞のようになっているものがある。これはエンバの根であるが、相当脂肪もあり一種特別な味をもっている。またエンバとエンバの間に挟まっている歯齦《はぐき》のようなものに、二枚へざと称する一種の肉がある。これは一見すると、消ゴムのようなものであるが、これを塩水に漬けて置き、そのまま適当に切って食べるとなかなか捨てがたい味のあるものである。

またほとんど中毒性のないことも一般食料として推奨する上に安心な点である。しかし有牙鯨すなわち抹香鯨、巨頭鯨、鯱鯨《しやちくじら》は時として中毒することがあるが、これも多量に食べなければ大丈夫である。その他の有鬚鯨は決して心配はなく、消化もすこぶるよろしいものである。

　以上のごとく前にも申した通り、一つとして捨てるところのないもので、鯨だけで料理をしても、数十種の色数は確にできるのである。鯨をもって牛肉の代用品と称するごときは誤った観察で、古来われわれの祖先は皆鯨を珍重して味おうたものであり、また栄養価値よりみるも他の多くの肉類に比して決して劣るものではない。ことに体温を高めることは非常なもので、老人子供に食べさせると、その効果は著明である（夜間小便などの遠くなることで証明できる）。これを缶詰として戦地の勇士に贈れば必ず称讃をうけることと思う。

　いま一つ述べたいことは、肥料の問題である。近来南極における捕鯨の盛《さかん》なることはご承知の通りで著しく発達しているが、その目的は油を搾取することであって、肉、骨、内臓のごときは全部海中に捨ててしまうのである。最近は肉の一部分だけが食料として輸送されているが、全殺鯨数より見れば問題にはならぬ。

　現在消費されている肥料の内で、経済統制の結果海外より輸入されている部門の品が著しく制限され、その結果農村肥料の割当制が喧《やかま》しくなってきた。これは時局柄止むを得ないことであるが、しかしこれが補給について適当な対策を講じないとその不足より生じる農村生産力の減退をきたすようなことがあっては長期経済建設上由々敷《ゆゆしき》大問題である。現に国家の中堅たる農村の青年諸君はほとんど戦地に活動されつつあって、それがため失うところの生産力の維持確保についても、上下こぞって善処対策に苦心しつつあるのである。この際農村に報いることは種々あるが、先ず低廉な肥料の配給を円満に行うことが急務ではあるまいかと思う。しかるにその肥料が時局の関係上不足を訴えてきたのであるからこれが補給についてはできる限り各種の部門について研究し、一日も早く肥料の増産を考慮しなければならぬと思う。

南極における捕鯨の数は相当多数に上っているが、ただ前記のごとく製油以外はほとんど海中に捨ててしまうのである。これは現下の経済問題よりみて看過することのできない重大問題と思う。すなわちこれを利用して肥料を製造させることにすれば、相当多量の肥料を需《もと》めることができる。この製造方法も割合簡単にできるのである。この問題は農林当局としてもまた一般関係方面としても至急研究を進められんことを要望する次第である。

原本あとがき

橋本勝子

本卦還りと云う、人生業の第一期を終え、生きていることに対して、深い感謝の気持でございます。

華甲の年を記念して、少しでもこのご恩に報いたいものと、先に亡父鯨浦が出版いたして居りました、「熊野太地浦捕鯨乃話」、これは父が幼少の頃より見聞きしていたことの、一番具体的な記録で、捕鯨史研究の方々に愛読せられ、高く評価されてきたもので、久しく絶版になって居りましたが、このたび、原版に更にいくつかの資料を補充して、再版することにいたしました。

この本が、今後捕鯨史を研究される皆様方のご参考になりますれば、大変幸甚であり、又これによって、父鯨浦の遺志に添うことが出来れば、衷心より喜びとするところでございます。

このたびの再版に際しまして、神坂次郎、梅田恵以子、東玉次の各先生方に色々とお世話になり、井手印刷株式会社の良心的な協力のお蔭で復刻できました。厚くお礼申し上げます。

鯨を捕るということ　To Catch A Whale

サイモン・ワーン

二〇〇八年暮れアメリカで、「鯨戦争《ホエール・ウオーズ》」は、ケーブルテレビ局アニマルプラネットでヒット番組になりつつあった。

私はその「鯨戦争《ホエール・ウオーズ》」の撮影技師《シネマトグラファー》兼現地《フィールド》プロデューサーをつとめていた。そのシリーズが、エミー賞ノンフィクション部門の優秀シネマトグラフィー賞の候補となった。私はプロフェッショナルとして認められたことを嬉しく思ったが、一方で同時に、ノンフィクション番組として世界の視聴者に大きな影響を与えたこの作品の編集が、不誠実なのではないかという思いにさいなまれた。

そう思ったのには理由がある。古式捕鯨の伝統をもっと学びたいと思い、二〇〇八年一〇月、私は太地町へと向かった。ちょうどその時、恒例の「くじら祭」が開かれていた。そこで見た素晴らしい光景に驚いたことをよく覚えている。そこで私が見た

「真実」は、ドキュメンタリーシリーズ「鯨戦争《ホエール・ウォーズ》」には語られていないものだった。私はこの週末の「太地浦くじら祭」の正式なシネマトグラファーとして撮影を許されたのである。

そこで、私の研究の旅路が始まった。同じ頃、「鯨戦争《ホエール・ウォー弐》」シリーズはメディアの猛攻撃を引き起こし、シーシェパードへの賛美は、頂点へと登っていった。それに追い討ちをかけたのが、長編ドキュメンタリー映画「ザ・コーヴ　THE COVE」（二〇〇九）である。この映画は、捕鯨に対するひじょうに否定的な見方を引き起こし、太地と日本に大きな衝撃を与えた。それからの一〇年に起こったことが、私の研究の主題である。シーシェパードやその他の活動家たちのグループは、太地では成功しなかった。しかしながら、まだまだ語るべき物語はある。日本以外の国では長く継続する捕鯨への嫌悪がある。しかし同時に、真実の物語は知られていないままである。日本の国内でさえも、本当のところは知られていない。

今は、事実関係を明確にする時期だと思う。そしてこの本は、そのプロセスの重要な一歩となるだろう。ドキュメンタリーシリーズ「鯨戦争《ホエール・ウォーズ》」の前例のない成功があり、ドキュメンタリー映画「ザ・コーヴ」がオスカーを受賞した。それを受けて、日本側の応答が「ビハインド・ザ・コーヴ　Behind "THE COVE"」（二〇一五）と映画「おクジラさま A Whale of a Tale」（二〇一七）であった。事態はほとんどなにも変わっていない。日本はまだクジラやイルカを捕っている。しかし、その真実はもっと良い話なのだ。多くの人々に、「映画を作ったらどうだ」とよく言われるが、映画を撮ることが答えになるとは思えない。

それよりも、この世界でもまれな持続可能な産業に関する、いまや風前の灯となった有形の物質的遺産、無形の精神的遺産が消えてしまう前に、それを見きわめ、保存し、再構築することが最優先なのだ。

紀州徳川家からの印鑑

右の小さな印鑑に日本の古式捕鯨の精髄が詰まっている。これは紀州徳川家から捕鯨をしていた和田家に支給された印鑑である。これは文字通り捕鯨の許可印だ。この印が許可状に捺されていなければ、クジラを捕獲する権利がないのである。捕鯨とは実際そういうものだったし、いつの時代でもそうあるべきなのだ。

この印は江戸時代の法への尊重の象徴であり、その法に則っているということは、自然の生態系への尊重でもあったはずだ。江戸時代には生きていたであろう自然との共存という目的の基盤をなす土着の知恵があったはずだ。

＊

「西洋」にとって、日本の古式捕鯨が持続可能な産業、人の手による作業の完璧な形式であったという考えは受け入れがたいものかもしれない。が、一六〇七年以来そうであったことは間違いない。一八二〇年、日本が出会った西洋式捕鯨は日本の捕鯨従事者にとって受け入れがたいものであったに違いない。一八二〇年代の江戸時代の啓《ひら》かれた考えとは違い、西洋の捕鯨者たちにとって鯨は回遊するオイルタンクでしかなく、その供給も限りないものだと考えられていた。彼らがこの印鑑とその意義を少しでも理解していたならと思わずにいられない。ペリーが一八五三年に記した、「日本は半文明国である」という記述も変わっていたことだろう。

この文庫版によってこれら多くの誤解が解かれ、太地の捕鯨の歴史が持続可能性の優れた例であることが理解されることを心から願わずにはいられない。

サイモン・ワーン（Simon Wearne）

研究者。和歌山在住。「アクティヴィズムと伝統的な捕鯨文化」について研究中。主な論文に、“Whaling heritage and tourism development ―― sliced, diced and boiled down”, *Tourism Development in Japan: Themes, Issues and Challenges*. Routledge, 2020. がある。

解説　古式捕鯨の遺産《レガシー》

中沢新一

『熊野太地浦捕鯨乃話』は、日本の古式捕鯨に関心を持つ人にとっては、ある意味でバイブルのような本である。太地捕鯨の長い伝統を統率してきた和田家・太地家の子孫である太地五郎作氏（一八七五〜一九五七）によって著されたこの本は、捕鯨文化の継承者自身によっていわば「内側から」体験的に記述された記録として、きわめて貴重な価値を持っている。

多くの小説家たちはこの本を読んでおおいに想像力をかきたてられ、それぞれの勇壮な「勇魚《いさな》」小説を書いた。捕鯨文化の研究者たちは、往時の太地捕鯨をめぐる貴重な社会学的、経済学的、歴史学的、人類学的情報を、この本からもらうことができた。それになによりもこの本が残されたことによって、輝かしい太地古式捕鯨の世界のレガシーが、今日まで伝えられることになったのである。

＊

井原西鶴の『日本永代蔵』の主題は、日本における近世資本主義の創成である。それは十七世紀の大坂を中心にして発達した経済的・文化的運動であるが、その発端ともなり立役者ともなった「起業家」群像の先駆けとして、西鶴は南紀太地の鯨大尽として当時も有名であった和田（太地）角右衛門を取り上げたのである。

西鶴は太地における捕鯨の実態を自分で体験したわけではなく、人からの伝聞をもとに「見てきたように書いた」作品で、その主な関心は、和田家を指導者として太地に形成された捕鯨組（ギルド）である「鯨方《くじらかた》」が、才知を生かして海からとてつもない「富」を引き出すことに成功し、それによって比類なき財産を積み上げたという成功譚にあった。これは十九世紀のカリフォルニアやオーストラリアにおいて、金の大発見によって巨万の富を得た財産家の生涯を描くルポルタージュ作品に類似した作品で、金が土中に眠る富であるように、鯨は水中に隠れている富であるという扱いを受けている。

捕鯨組が海中から引き出したこのとてつもない富を、「銭《ぜに》＝貨幣」に変えていく過程にこそ、西鶴の関心はあった。その過程で、太地ではマニュファクチュアの原初的な体系がつくられたのである。ほかの魚類を取り扱う水産業と違って、捕鯨では魚を水揚げして消費地に輸送して販売すればそれで一つのサイクルが完了するというわけではない。鯨を海から引き上げる力仕事をすませても、すぐにその巨大なからだを解体して肉を取り、骨をはずし、鬚を採取して加工しやすい形に成形し、鯨油を集めそれを精製して灯油につくり、というように、鯨の巨体すべてを利用し尽くしていくための加工過程が始まる。こうした過程のすべてが集合し緊密に組み合わされて、捕鯨の体系は出来上がっている。

太地ではそうした過程すべてを総合したマニュファクチュアの体系がつくられた。それによってそれまでは十分に利用されてこなかった自然の「富」が、貨幣に換算できる「価値」に変身した。この「価値」というもののおかげで、資本主義は発達することができた。そこで西鶴は、太地の角右衛門を中心とする鯨方の「才覚」を、資本主義誕生の芽として褒めたたえたわけである。

そのとき太地で誕生したマニュファクチュアの体系は、そののち京都西陣などの織機産業に転用されていき、日本の「ものづくり」の基礎はこうして太地の発明の上に固められていったのだった。その意味でも、太地捕鯨組の達成したことは、日本の資本主義の発達にとって、画期的なのである。

しかし、西鶴のあまり注目しなかったもう一つの顔が（こちらのほうの顔は、後世の小説家たちの想像力をおおいに刺激したものである）、捕鯨マニュファクチュア体系の中心部に潜んでいることも、忘れてはならない。それは捕鯨組の羽刺《はざし》や勢子《せこ》たちが、海の上で巨大な生物と格闘しながらそれを捕獲するにいたる、「海の狩猟」そのものの過程である。

*

水中でおこなわれるこの鯨との格闘の場面と、鯨を討ち果たし海上に引き上げてきたのちに展開される解体・加工の過程とは、記号論的にも、リビドー経済学的にも、根本的な違いを持っている。後者の過程を記号論的に「散文的」であるとするならば、前者の過程は「詩的」であるということができる。また後者の過程をリビドー経済学的に「媒介的・交換的」というならば、前者の過程は「直接的・相互嵌入《かんにゅう》的」ということができる。この水中での鯨との格闘を中心とする過程は、ドゥルーズ＝ガタリにしたがって「戦争機械」と呼ぶことができる。

じっさい捕鯨マニュファクチュア体系の「核」のような部分には、典型的な形をした戦争機械が組み込まれているのである。戦争機械において、人間はあいだに媒介や仲介をおこなう機構をさしはさむことなく、直接的に自然諸力に対峙しあい、触れあい、とっくみあい、戦いあうのである。陸上動物にたいする狩猟ではやや小規模なスケールの戦争機械が組織されるが、それが人間同士の戦争ともなると、狡智をきわめた戦術を生かした複雑な戦争機械が作動することになる。捕鯨はそれらのちょうど中間にあたるぐらいのスケールの、戦争機械として組織されている。

捕鯨の戦争機械の部分において、鯨はその巨大な体軀に蔵せられた人間をはるかに凌駕する自然パワーによって、捕獲をめざして群がり寄ってくる人間たちをはね除《の》けようとする。これにたいして力でははるかに鯨に劣る人間たちは、知力をもって集団で立ち向かい挑戦する。人間の側の執拗な攻撃によって、鯨の精力が弱まってきたところで、羽刺（刺水夫《さしかこ》）と呼ばれる若者が海に飛び込んで、文字どおりの鯨と人間との一騎打ちをおこなう。決闘である。それによって首尾よく鯨が討ち果たされるのをもって、この戦争機械は活動のサイクルを終了する。こうして捕鯨の「詩的」過程の部分が終わるのである。そして死んだ鯨の遺体は陸に運ばれ、ここから捕鯨マニュファクチュア体系の別の「散文的」サイクルが作動をはじめる。

太地五郎作氏の『熊野太地浦捕鯨乃話』が、他書に類を見ない光彩陸離たる記述に輝くのは、まさにこの部分である。この戦争機械の部分を通過することによって、自然の「富」は経済的な「価値」へとジャンプをとげる。そのジャンプを実現するのが、羽刺や勢子らからなる捕鯨組の活動なのである。捕鯨組はその時点では、「散文的」な経済の世界にはまだ組み込まれていない。銭に換算できない勇気、決断力、実行力をもって、自然の懐に飛び込んで、「詩的」ジャンプを果たすことに、自分の全存在を賭けている。

それこそが、太地捕鯨の魂のありかであり、古式捕鯨のレガシーはそこにこそ見出される、とこの本は主張している。捕鯨はたんなる経済活動の一種ではない。それは経済活動を超出する戦争機械を核に組み込んだ、通常の産業を超えた過剰を生命とする産業なのだ。捕鯨は、偉大な「海の狩猟」の末裔としてのレガシーを生きてきた。本書にはそのような熱い魂が注ぎ込まれている。こういうことに西鶴の理解が及ばなかったとしても、それは致し方のないことであろう。

＊

太地で開発確立された捕鯨体系の核の部分に、いわゆる戦争機械が埋め込まれてあることには、深い歴史的根拠がある。太地で捕鯨文化を開いたのは、本書の著者も含めて、すべて「海民」と呼ばれる人々である。和田角右衛門（一六二三？〜九九）がつらなる和田一族は、古代に北九州を拠点としていた海民のアズミ族の系統に属し、紀伊半島、伊勢湾、東海地方としだいに東日本に勢力を伸ばしていった人々の仲間である。彼らは平家が政権に近づこうとしていた平安末期には、関東各地に武士団を形成するまでに成長をとげていた。初期は伊勢系海民の出である平氏につらなっていたこれらの武士団は、のちに源頼朝と北条氏の下《もと》に結集して平家を倒し、鎌倉に幕府を開くことになる。その鎌倉において、のちに太地に捕鯨文化が花開くことになるきっかけとなる大事件が勃発する。

鎌倉幕府において、執権として独裁的な権力を行使していた北条氏に対抗して、侍所別当（長官）であった和田義盛《わだよしもり》がクーデターを試みるが敗北し（一二一三年）、一族の多くが鎌倉で戦死や自害をとげるなか、房総から出撃して来ていた義盛の三男、朝比奈三郎義秀《あさひなさぶろうよしひで》だけは由比ヶ浜から船を仕立てて海に逃亡することができた。その一子である和田頼秀《わだよりひで》は、紀州太地の浜に拠点を築き、本格的な漁業経営に乗り出していく。

この頼秀の子孫たちの中から、和田金右衛門と和田角右衛門の兄弟があらわれる。時代は江戸幕府創建の頃、「海の平和令」や「喧嘩停止令」によって、海民系武士団による海賊行為が固く禁止されるようになっていた。角右衛門はそのとき、先祖伝来の戦争技術を海の狩猟に転用するという、ユニークな発想を抱いた。和田家は力を合わせて、太地村に「鯨方」と呼ばれる捕鯨組合を組織し、そこで「網取り漁法」という新しい捕鯨技術を開拓したのである。

この網取り漁法には、戦争技術のノウハウが活かされている。従来のような銛《もり》で鯨を突く漁法では、沖合を悠々といくザトウ鯨やセミ鯨のような巨鯨を捕獲することは不可能だった。戦争では、敵の大群の進攻を抑えるために、矢や鉄砲を射掛けて相手のポテンシャルを削ぐ戦略がとられる。そのやり方を太地鯨方は、水中を行く見えないポテンシャル・エネルギーの巨大な塊にたいして適用した。この戦術転換はみごとに成功して、太地浦に大いなる繁栄をもたらし、その評判は大坂や京都にも喧伝された。こうして本書の作者の先祖である和田角右衛門は、「紀伊国に隠れなき鯨ゑびす」(『日本永代蔵』)とまで賞賛されるようになる。

太地から西日本に広く広がっていったこの網取り式捕鯨法には(角右衛門頼治は自分たちが考案したこの漁法を秘密にせず、五島列島や土佐や長門の漁民にも惜しげもなく伝えていった)、ほかにも戦争機械としての特徴が、いくつも備わっている。船団が沖合に出て鯨に遭遇すると、とたんにこのことが露わになる。

船団は、鯨に網をかける役目の「網船」と、快速で海上を走って鯨を仕留める役の

「勢子《せこ》船」と、仕留めた鯨を浜辺に搬送する役目の「持双《もっそう》船」の三種で構成される。このうち網船は、さきほども述べたように鯨のポテンシャル・エネルギーに抑制を加えて、攻撃をしやすくする働きを持つから、陸上戦の場合では先制攻撃をかける鉄砲隊に相当する。勢子船の敏捷な動きは、鯨方の前身が水軍にあったことを、明瞭に語っている。

水軍は敵の船に攻撃を加えて、しだいに接近していき、相手の船に乗り移って制圧をめざそうとするが、勢子船の動きはそれと全く同じで、海中に身を躍らせた刺水夫は鯨に乗り移って抱きつき、鼻先を切って仕留めるという危険な任務につく。そして最後に、戦利品たる鯨を結え付けた持双船が、意気揚々と凱旋する。この一連の過程は、まったく水軍ないし海賊時代の海民和田一族の行動を彷彿とさせるものばかりである。

太地でなぜこのような捕鯨体系が創造されたのか、その秘密は和田一族の来歴にかかわっている。彼らの先祖は、海民系の武士団であった。そのため船の扱いが巧みで、海上での戦争についての豊かなノウハウを持っていたに違いないのである。その海民としての知識や技術が、海の狩猟たる捕鯨に転用された。

じっさい太地の共同体は、一村をあげて無駄のない、効用性の高い組織として構成されていた。その組織の外側を包んでいるのはマニュファクチュアの作業場であるが、いったん船団を組んで沖合に出た途端、鯨方は自分の核心部をむき出しにして、戦争機械に変貌する。太地の捕鯨体系の創建をきっかけとして、日本のマニュファクチュアは形成されていった。このことには、日本の技術の本質にかかわる大きなテーマが内包されている。

＊

太地に生まれた捕鯨体系は、日本のマニュファクチュアの先駆けである。そののち京都西陣に生まれた織物マニュファクチュアなども、太地鯨方の構造から大きなヒントを得てつくられたとも言われている。しかしそのようなマニュファクチュア群と太地鯨方の間には本質的な違いがある。それが何かといえば、これまで見てきたように捕鯨体系の内奥に戦争機械が深くセットされてあるのに対して、ほかの地域で発達したふつうのマニュファクチュアにはそれがないという点に尽きる。このことは日本人の「ものづくり」の根幹に関わる重大な問題をはらんでいる。

捕鯨体系の内奥に戦争機械が組み込んであるのは、それが海民の文化伝統の中に形成されてきたことと深い関係を持っている。海民は「海の狩猟民」として、水中生物の世界と向かい合ってきた。彼らは網や釣竿を用いて、水の中で生きている生物と「直接的に」渡り合ってきた伝統を持つ。とくに鯨のような巨大生物を捕獲しようとしたとき、その直接性は激しい戦闘となって現出せざるをえない。そこで戦争機械の原理が発動するのである。このような「狩猟」は人間世界での戦争とひと続きであり、じっさい海民出身の武士団はしばしば水軍を組織して活躍している。

これにたいして、「ものづくり」マニュファクチュアの多くは、米作りをおこなう農民の技術体系や社会組織などを基礎として形成されたものである。水中を自由に動き回っている魚類に比べれば、稲も桑も蚕もおとなしい従順な生物である。そのため稲づくりをするのに、農民はその植物と戦う必要はない。上手に配水や日照を調整して、植物が気持ち良く生育するのを助けるのが、農民の仕事である。蚕も人間に歯向かってはこない。桑をたっぷり食べて、糸を吐いて繭にこもってしまう。

農民の技術体系には、天候や害虫との戦いはあっても、戦争とはほんらい無縁である。「ものづくり」マニュファクチュアは、そういう農民的エートスの世界で発達したものであるため、比較的温和な自然との交渉・制御・交換から、一次原料は得られる。そのためこのタイプのマニュファクチュア体系には、戦争機械の要素が組み込まれることがない。

ここに、日本産業史における古式捕鯨のユニークさがある。それは非農業的マニュファクチュアの構造を内奥の中核とし、そのまわりを農業型ものづくりマニュファクチュアで包み込んだ二重構造として出来上がっている。日本の海民はもともと「半農半漁」の生活形態をとってきた。その生活形態の二重構造が、内奥に戦争機械を組み込んだ独特の産業体系として表現されたところに、古式捕鯨の様式が生まれたとも言える。

ＡＩによる第四次産業革命の時代に突入している現在、日本のものづくり産業は苦境に立たされている。農業的マニュファクチュアを基礎として発達をとげてきた日本のものづくり産業のエートスは、非物質的情報の活用と精密なものづくり過程のロボット化・コモディティ化が進行する中で、二十世紀後半に誇っていたような輝きを失い始めている。

日本はものづくり産業の根本に立ち返った自己認識を、いま必要としている。そのとき「異形のマニュファクチュア」としてそのレガシーを今日に伝える、太地古式捕鯨の本質をあらためて思考することは、未来の文化再生に向けてきわめて重要な意義を持つだろう。本書を読むことは過去を追慕するだけにとどまらない、未来的な意味を持っている。

KODANSHA

本書は、太地五郎作『熊野太地浦捕鯨乃話』（橋本忠徳、一九八二年刊）を底本とし、新たに中沢新一氏による「学術文庫版序文」と「解説」ならびにサイモン・ワーン氏「鯨を捕るということ」を追加したものです。

太地五郎作（たいじ　ごろうさく）

1875–1957。下里村郵便局長，勝浦町長などを務めた。郷土史家で，熊野とくに捕鯨の歴史を研究した。

中沢新一（なかざわ　しんいち）

1950年，山梨県生まれ。東京大学大学院人文科学研究科修士課程修了。思想家・人類学者。著書に，『チベットのモーツァルト』「カイエ・ソバージュ」シリーズ，「アースダイバー」シリーズなど。

講談社学術文庫

定価はカバーに表示してあります。

日本《にっぽん》の古式《こしき》捕鯨《ほげい》

太地《たいじ》五郎作《ごろうさく》／中沢新一《なかざわしんいち》 解説

2021年10月12日　第１刷発行

発行者　鈴木章一
発行所　株式会社講談社
東京都文京区音羽 2-12-21 〒112-8001
電話　編集 (03) 5395-3512
販売 (03) 5395-4415
業務 (03) 5395-3615
装　幀　蟹江征治
印　刷　株式会社広済堂ネクスト
製　本　株式会社国宝社
本文データ制作　講談社デジタル製作

ISBN978-4-06-524720-4

「講談社学術文庫」の刊行に当たって

これは、学術をポケットに入れることをモットーとして生まれた文庫である。学術は少年の心を養い、成年の心を満たす。その学術がポケットにはいる形で、万人のものになることは、生涯教育をうたう現代の理想である。

こうした考え方は、学術を巨大な城のように見る世間の常識に反するかもしれない。また、一部の人たちからは、学術の権威をおとすものと非難されるかもしれない。しかし、それはいずれも学術の新しい在り方を解しないものといわざるをえない。

学術は、まず魔術への挑戦から始まった。やがて、いわゆる常識をつぎつぎに改めていった。学術の権威は、幾百年、幾千年にわたる、苦しい戦いの成果である。こうしてきずきあげられた城が、一見して近づきがたいものにうつるのは、そのためである。しかし、学術の権威を、その形の上だけで判断してはならない。その生成のあとをかえりみれば、その根は常に人々の生活の中にあった。学術が大きな力たりうるのはそのためであって、生活をはなれた学術は、どこにもない。

開かれた社会といわれる現代にとって、これはまったく自明である。生活と学術との間に、もし距離があるとすれば、何をおいてもこれを埋めねばならない。もしこの距離が形の上の迷信からきているとすれば、その迷信をうち破らねばならぬ。

学術文庫は、内外の迷信を打破し、学術のために新しい天地をひらく意図をもって生まれた。文庫という小さい形と、学術という壮大な城とが、完全に両立するためには、なおいくらかの時を必要とするであろう。しかし、学術をポケットにした社会が、人間の生活にとってより豊かな社会であることは、たしかである。そうした社会の実現のために、文庫の世界に新しいジャンルを加えることができれば幸いである。

一九七六年六月

野間省一

文化人類学・民俗学

悲しき南回帰線（上）（下）
C・レヴィ＝ストロース著／室　淳介訳
「親族の基本構造」によって世界の思想界に波紋を投じた著者が、アマゾン流域のカドゥヴェオ族、ボロロ族など四つの部族調査と、自らの半生を紀行文の形式でみごとに融合させた「構造人類学」の先駆の書。
711・712

民間暦
宮本常一著（解説・田村善次郎）
民間に古くから伝わる行事の底には各地共通の原則が見られる。それらを体系化して日本人のものの考え方、労働の仕方を探り、常民の暮らしの折り目をなす暦の意義を詳述した宮本民俗学の代表作の一つ。
715

ふるさとの生活
宮本常一著（解説・山崎禅雄）
日本の村人の生き方に焦点をあてた民俗探訪。祖先の生活の正しい歴史を知るため、戦中戦後の約十年間にわたり、日本各地を歩きながら村の成立ちや暮らしの仕方、古い習俗等を丹念に掘りおこした貴重な記録。
761

庶民の発見
宮本常一著（解説・田村善次郎）
戦前、人々は貧しさを克服するため、あらゆる工夫を試みた。生活の中で若者をどう教育し若者はそれをどう受け継いできたか。日本の農山漁村を生きぬいた庶民の内側からの目覚めを克明に記録した庶民の生活史。
810

日本藝能史六講
折口信夫著（解説・岡野弘彦）
まつりと神、酒宴とまれびとなど独特の鍵語を駆使して藝能の発生を解明。さらに田楽・猿楽から座敷踊りまで日本の歌謡と舞踊の歩みを通観。藝能の始まりと展開を平易に説いた折口民俗学入門に好適の名講義。
994

新装版**明治大正史　世相篇**
柳田國男著（解説・桜田勝徳）
柳田民俗学の出発点をなす代表作のひとつ。明治・大正の六十年間に発行されたあらゆる新聞を渉猟して得た資料を基に、近代日本人のくらし方、生き方を民俗学的方法によってみごとに描き出した刮目の世相史。
1082

山折哲雄著
仏教民俗学
日本の仏教と民俗は不即不離の関係にある。日本人の生活習慣や行事、民間信仰などを考察しながら、民衆に育まれてきた日本仏教の独自性と日本文化の特徴を説く。仏教と民俗の接点に日本人の心を見いだす書。

1085

宮本常一著（解説・神崎宣武）
民俗学の旅
著者の身内に深く刻まれた幼少時の生活体験と故郷の風光、そして柳田國男や渋沢敬三ら優れた師友の回想など生涯にわたり歩きつづけた一民俗学徒の実践的踏査の書。宮本民俗学を育んだ庶民文化探求の旅の記録。

1104

小松和彦著（解説・佐々木宏幹）
憑霊《ひょうれい》信仰論
日本人の心の奥底に潜む神と人と妖怪の宇宙。闇の歴史の中にうごめく妖怪や邪神たち。人間のもつ邪悪な精神領域へ踏みこみ、憑霊という宗教現象の概念と行為の体系を介して民衆の精神構造＝宇宙観を明示する。

1115

吉野裕子著（解説・村上光彦）
蛇　日本の蛇信仰
古代日本人の蛇への強烈な信仰を解き明かす。注連縄・鏡餅・案山子は蛇の象徴物。日本各地の祭祀と伝承に鋭利なメスを加え、洗練と象徴の中にその跡を隠し永続する蛇信仰の実態を、大胆かつ明晰に論証する。

1378

筑紫申真著（解説・青木周平）
アマテラスの誕生
皇祖神は持統天皇をモデルに創出された！　壬申の乱を契機に登場する伊勢神宮とアマテラス。天皇制の宗教的背景となる両者の生成過程を、民俗学と日本神話研究の成果を用いダイナミックに描き出す意欲作。

1545

赤坂憲雄著（解説・小松和彦）
境界の発生
現今、薄れつつある境界の意味を深く論究。生と死、昼と夜などを分かつ境はいまや曖昧模糊。浄土や地獄も消え、生の手応えも稀薄。文化や歴史の昏がりに埋もれた境界の風景を掘り起こし、その意味を探る。

1549

文化人類学・民俗学

池田弥三郎著
性の民俗誌

民俗学的な見地からたどり返す、日本人の性。一夜妻、一時女郎、女のよばい等、全国には特色ある性風俗が伝わってきた。これらを軸とし、民謡や古今の文献に拠りつつ、日本人の性への意識と習俗の伝統を探る。

1611

R・ベネディクト著／長谷川松治訳
菊と刀 日本文化の型

菊の優美と刀の殺伐――。日本人の精神生活と文化を通し、その行動の根底にある独特な思考と気質を抉剔する、不朽の日本論。「恥の文化」を鋭く分析し、日本人とは何者なのかを鮮やかに描き出した古典的名著。

1708

宮本常一著（解説・網野善彦）
日本文化の形成

民俗学の巨人が遺した日本文化の源流探究。生涯の実地調査で民俗学に巨大な足跡を残した筆者が、日本文化の源流を探査した遺稿。畑作の起源、海洋民と床住居など、東アジア全体を視野に雄大な構想を掲げる。

1717

野本寛一著（解説・赤坂憲雄）
神と自然の景観論 信仰環境を読む

日本人が神聖感を抱き、神を見出す場所とは？ 人々を畏怖させる火山・地震・洪水・暴風、聖性を感じさせる岬・洞窟・淵・滝・湾口島・沖ノ島・磐座などの自然地形。全国各地の聖地の条件と民俗を探る。

1769

石毛直道著
麵の文化史

麵とは何か。その起源は？ 伝播の仕方や製造法・調理法は？ 厖大な文献を渉猟し、「鉄の胃袋」をもって精力的に繰り広げたアジアにおける広範な実地踏査の成果をもとに綴る、世界初の文化麵類学入門。

1774

西田正規著
人類史のなかの定住革命

「不快なものには近寄らない、危険であれば逃げてゆく」という基本戦略を捨て、定住化・社会化へと方向転換した人類。そのプロセスはどうだったのか。遊動生活から定住への道筋に関し、通説を覆す画期的論考。

1808